3×3 EYES
BY YŪZŌ TAKADA
No.6

3×3《サザン》EYES《アイズ》

第六巻

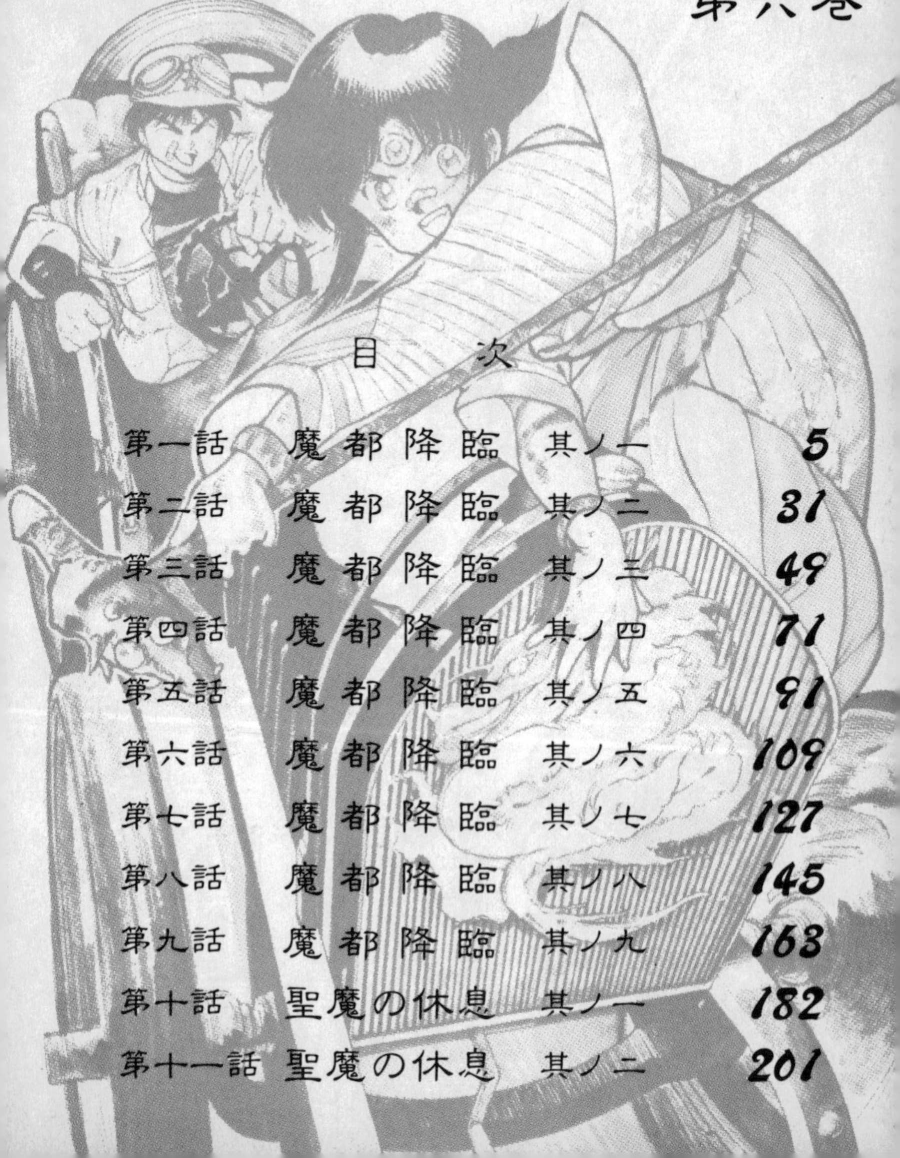

目　次

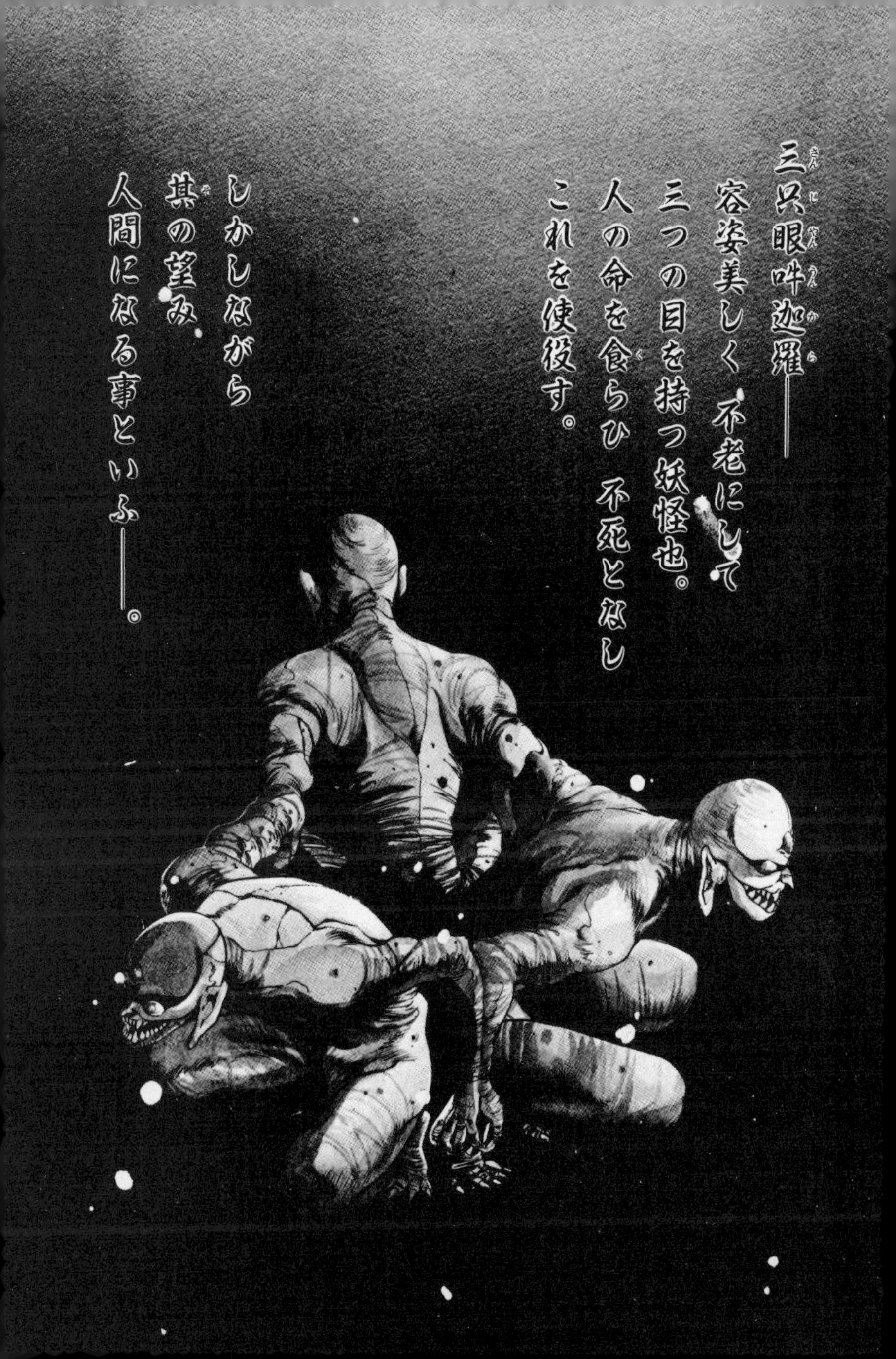
三《さん》只《じ》眼《やん》吽《うん》迦《か》羅《ら》——
容姿美しく 不老にして
三つの目を持つ妖怪也。
人の命を食《く》らひ 不死となし
これを使役す。
しかしながら
其《そ》の望み
人間になる事といふ——。

CLUB MED.S
第三部 聖魔世紀

第一話
魔都降臨　其ノ一

東京 1992年
ジュウウ
ザッ
丸ノ内
調理師
栄養師
服装
専門学校

ボワ
おわわわわ
あちゃちゃちゃちゃちゃちゃ
どーした24番!!
ヤケドか!? 油に火がまわったのか!?
な 何でもないっス 先生大丈夫ですよ
何言ってんだ見せてみろ24番!!
おいコラ待てドコ行くんだ!!
おい!! 24番──っっ
24番──っっ

丸ノ内専門学校
24
ふう

ヤベェヤベェ フツーの人間のフリして生活すんのも楽じゃねーな
もーう治っちまったぜっっ
ふむ
早く
人間に戻りてぇぞ俺は!!

そしたらおまえと二人で・・・・
たん

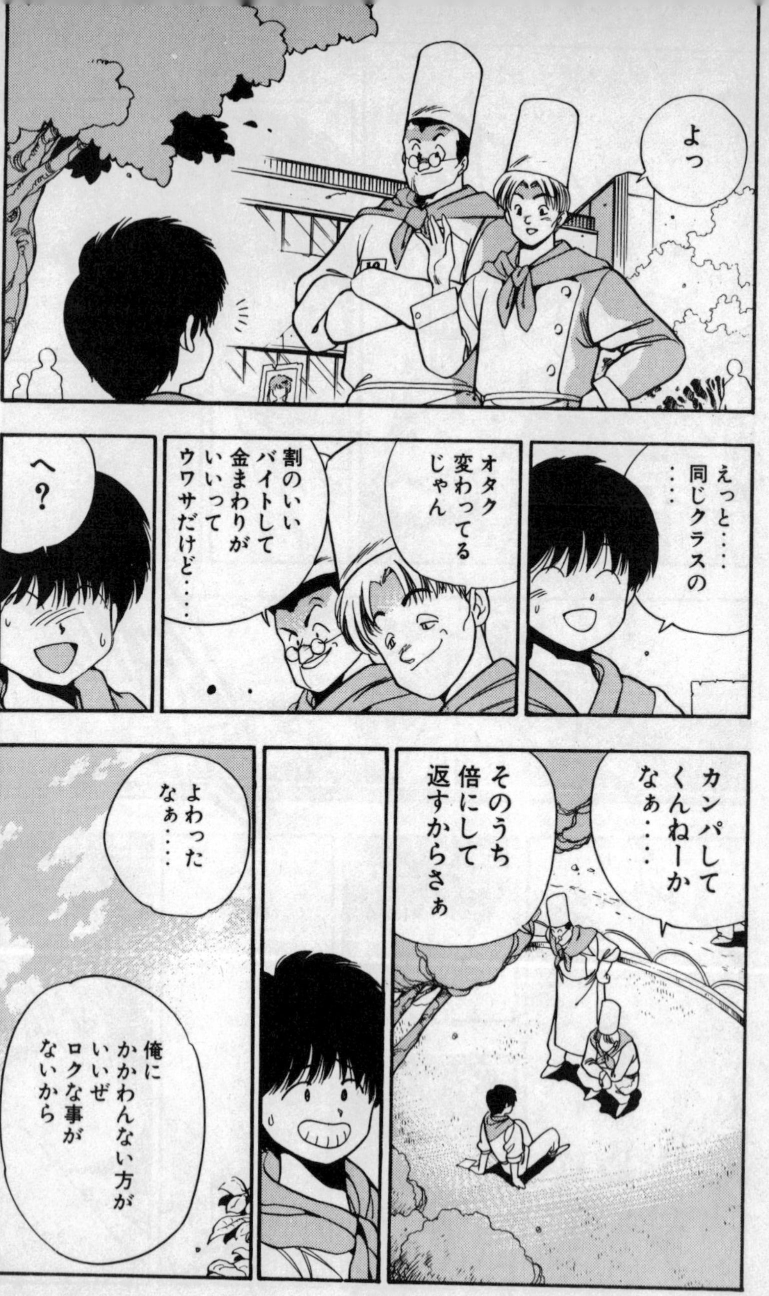
よっ
えっと‥‥同じクラスの‥‥
オタク変わってるじゃん
割のいいバイトして金まわりがいいってウワサだけど‥‥
へ？
カンパしてくんねーかなぁ‥‥
そのうち倍にして返すからさぁ
よわったなぁ‥‥
俺にかかわんない方がいいぜ ロクな事がないから

待てよ!!
俺達 別に
カツアゲしてんじゃ
ねーんだ!!
いい話があんだよ
ガッ
あっ
何やってんのよ
あんた達!!
まだ授業中
でしょ・・・
誰?
コレ?
・・・・・・

へぇ これが 藤井君の 彼女なんだ
彼女がいたって ウワサ 本当だったのね
かなり 熱あげてたのに 逃げられて それでも 彼女一筋に 待ってんだってな
藤井《オタク》には 似合わねー 生々しい話だよな
君達ねー どっから そんな事 聞いてくんだよ
あったく〜
Mr.レディーの店
カルチャーショック
MENU
咲子はね おまえの事 なーんでも 知ってるんだぜぇ
あ そんな事 ないよー

そ それより
昼間のヤケド
大丈夫!?
ああ
大丈夫だよ
俺は
「不死身の男」
だからね
ハイハイ
幼い顔して
「不死身」
ってのは
似合わないって
カリコリ
んな事より
いい話が
あるんだ
のらないか?
ロフトよ
ロフト!!
ウォーター
フロントよ
知り合いの
ツテでね
ベイエリアの
貸倉庫
格安で紹介
してもらえるの
M-27
そしたらさ
一緒に
パーティーズ
レストラン
開かない!?
ねっ
ねっ

簡単な料理にお酒!! それとパーティースペースがあればぼろもーけよぼろもーけ!!
な!! スゲーだろぉ!! 倉庫借りる金さえ集まれば俺達青年実業家様だぜ!!
レストラン・・・か・・・・
うん!!
いい!! それいい!! 俺も金出すよ!!
でも問題がひとつだけ
調理師免状は目前だけど私らみんな未成年じゃん・・・
だから成人のオーナー雇わなきゃ倉庫貸してくんないのよね

誰かいい人いないかしら
クスッ
昭和46年 3月27日
区十人町53
ウ ウソッッ
こんな童顔で20歳!!
悪夢だ‥‥俺達より年上だなんて‥‥
こんな気色悪いハタチはじめてだ
小学生かと思ってたのに
‥‥‥‥
あのね‥‥
おう!!
あそこのガキどももおまえの知り合いか?
専門ガッコの同級生《タメ》だよ
みんな悪い奴じゃないし料理が上手《うま》いんだぜー

料理学校ねぇ・・・・
男のクセに軟弱な奴だぜおめーはよ
オカマに言われる筋合いはありません!!
それよりまたハガキ来てるぞ
AIR MAIL
JAPAN
「妖撃社」から・・・・
まアシ洗ったとはいえ少しは手伝ってやったらどうだ?・・・・妖怪退治
でもママ・・・・
終わったんだよ
鬼眼王《カイヤンワン》が死んでもう闘う必要は何もないんだよ・・・・

だから 俺は
フツーの生活をして パイを待ってたいんだ・・・・
フツーの生活か・・・・
できるのか おまえに?
あたりまえじゃん

何なコレ!?
ゴミ捨て場
ああ…ニュースで言ってたな
夢の島で季節はずれのイナゴの大発生だって
イナゴ……
東京湾
中央防波堤埋立地
（新夢の島）

龍

イナゴの大発生だから湾岸に行きたくない——!?
ちょっと冗談やめてよ藤井さん
え——
なに——?
私らの中で一番年上なんだからしっかりしてよ
でもやな予感がするんだ‥‥俺
でもじゃない!! 藤井さんがいなきゃ私らの夢もシャカっちゃうんだから
イナゴがコワくてコックができるかって——の!!
‥‥‥‥

お客さん
どっちにしても これ以上 先に 行くのは 無理だねぇ‥‥
悪いケド 引っ返した 方がいいよ こりゃあ‥‥
ええっ
そんな‥‥
困るのよ 今日 仮契約の 約束なんだ から
手付け 打たなきゃ 物件が他に 流れちゃうん だから
そんな事 言われてもねえ この状態じゃ ねぇ‥‥
それにしても これは いったい‥‥
わかったわ!! ありがと!! もう歩いて 行くわ
!?
バカ野郎!! 出るんじゃ ないっっ!!
480
ギギ ギイ
え?

ウアアア
ヒイイイ
ギャアアアア

ウギャアア
おおいっ
か・・・・
桂木《かつらぎ》さん!!
くっ
クソッ!!
このままじゃこの娘が危ねぇ!!
おあっ
どーしたらいいんだ
どうしたら!!
ど・・・・

みんな——っっ
今のウチに
逃げて——っっ
ゔわあ

早く──っ

パイッ
ヤクモ
魔都降臨　其ノ一　了

ヤクモオオ
パイッ
!!

イヤアアン
パイ!!

第二話
魔都降臨　其ノ二

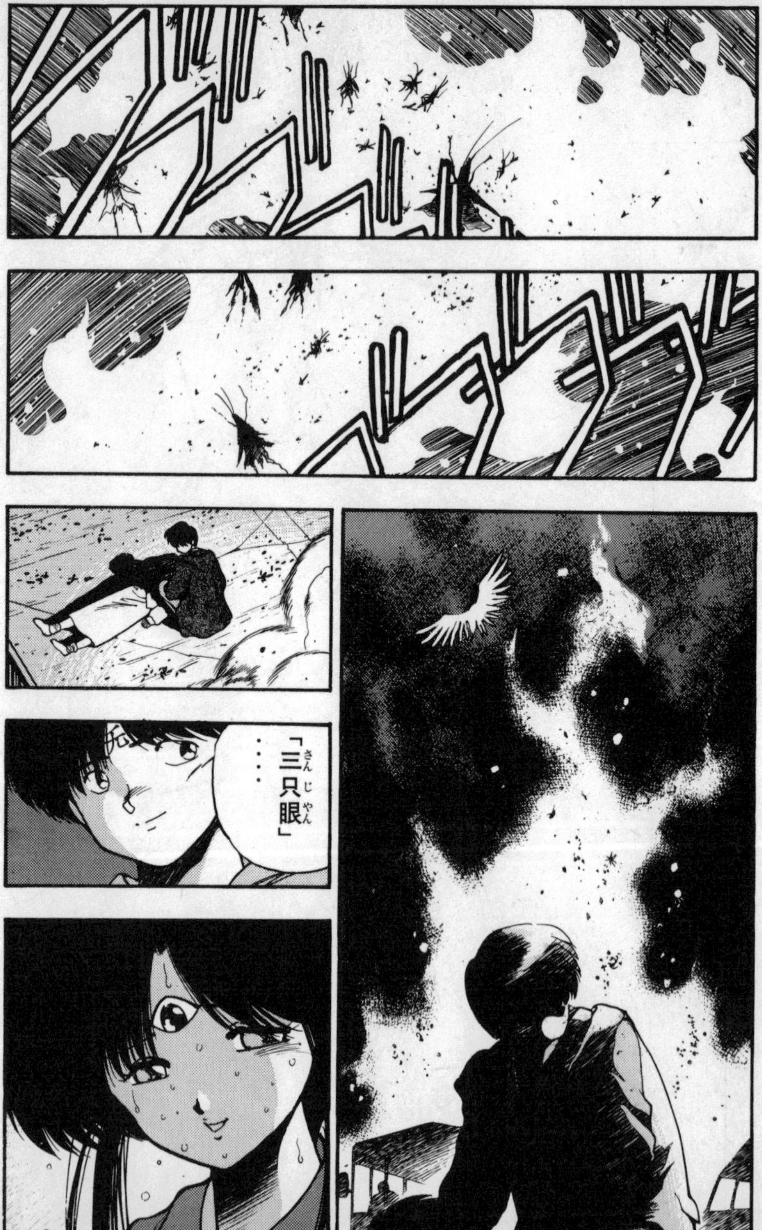
「三只眼《さんじやん》」
....

お帰り
パイ・・・・
お帰り・・・・

さて――
昨日東京湾岸埋立地で異常発生したイナゴですが‥‥
江東区有明付近の路上で起きました原因不明の火災により
ほぼ全滅した事が都の調べによって明らかになりました
いやまさに飛んで火に入る夏の虫とはこの事ですね
火はイナゴを焼きつくしまもなく鎮火したとの事です
なおイナゴの異常発生については謎の部分が多く‥‥
イナゴか‥‥

なあ……
パイちゃんとイナゴ何か関係があるんじゃねーか?
あ──?
あんだって──?
じゅわわ
朝っぱらから何をやってんだかこのバカは……
おかえりパイ
PAI WELCOME
おまえねちっとは疑問とかわかねーのかよ
あ──?
疑問?
パイちゃんの記憶はちゃんと戻ってんのか とか
なんでイナゴと一緒に湾岸なんかにいたのかとかいろいろあんだろーがよ

やだなーママ!! 何言ってんの
パイに記憶が戻ってんのは当然だろー
だからこそスグに俺に会いに来たんじゃん
ナハハハハハ
イナゴの大群とは たまたまその途中で出会っただけサ
スー
スー
スー
チベットからタクヒに乗って急いで来るなんてかわいいよなー

……
テヘッ
これが"愛"ってやつかなって
テヘヘヘヘ
まあーケチつけるワケじゃねーケド
どーもおまえに会いに来たワケじゃねーような気がしてなー
ふっふっふっ
相思相愛の二人の涙の再会を見てからモノを言ってもらいたいなー
のわんっったりして
ゆらっ
呼ばれて飛び出て
ジャジャジャジャーン
わあっ

テヘヘ
お
おまえって奴は・・・・
ドキドキ
よくも涙の再会をぶちこわして・・・・
よかった・・・・ヤクモだ
やっぱりヤクモだ
ヤクモヤクモ
ヤクモ
ヤクモ

俺
パイの事
ずーっと
待ってたんだぜ
妖撃社辞《や》めて
調理師ガッコ行って
バイトして
金貯めて‥‥
湾岸に
レストラン開く
計画だって
あるんだぜ
ケプッ
へへっ
そしたら 俺
いっぱい働く
からさ‥‥
ん？
ここで
一緒に
暮らそうな
なっ
ドキ
ドキ

お願い ヤクモ 助けて
時間が ないの‥‥

何だよ あの光？
光じゃないの 〝穴〟なの あそこから イナゴ達が来たの
へ？ イナゴ‥‥ それって いったい‥‥
あれは エサ‥‥
イナゴは 〝太歳《タイソエイ》〟の エサなの
太歳《タイソエイ》？
あそこに 見えてる 赤い繭《まゆ》‥‥ あれが イナゴを 呼び寄せた 太歳《タイソエイ》よ
!?

大地の精を狂わせて生き物をミイラにしちゃう怖い子なの‥‥
ドクン
ドクン
この子が孵化《ふか》しちゃったらパイの手には負えないわ
ドクン
ドクン
ちょっ‥‥
ちょっと待ってくれ!!
いったいここはどこなんだよ
東京湾の上空にどーしてこんなモノが‥‥
次元のすきま‥‥
ま まさかここは‥‥

聖地!?
じゃ じゃあ 東京湾にも "昆侖《コンロン》"が あったって ゆーのか
そんな……
この子―― 太歳《タイソエイ》は 孵化《ふか》しないように 昔の人がここに 封印してたんだ けど
パイは この"穴"を ふさぎに 来たの……
ちょうど 真下に穴が開いて 今 封印が解けた 状態なんだもん

急いで——この子が孵化する前に穴をふさがなきゃ
大変な事になっちゃう!!
だから……お願いパイを助けて!!
ここに穴を開けた“聖地への鍵”を一緒に探して!!
さ探すったってゴミ捨て場であの香炉を探すのかよ!?
ううん
香炉とは限らない……
三つ目の紋章の入った何か……
その何かを一緒に探してヤクモ
ゴロゴロ
ゴロゴロ

魔都降臨　其ノ二　了

全車両に告ぐ
緊急警戒態勢!!!
通り魔殺人
事件発生!!
江東青海地区より
有明・東雲《しののめ》・新木場と
湾岸沿いに
現在6件連続発生!!

なお
不思議な事に
遺体は出血・乾燥を
続け 死後まもなく
ミイラ化—
犯人は薬物及び
毒物等所持の
恐れあり!!
全車 緊急警戒
態勢につけ
繰り返す
全車 緊急警戒
態勢につけ!!
ここんとこ
やけに
騒がしいな
・・・
うん

第三話
魔都降臨●其ノ三

ファフォ
24時間営業
牛丼
牛野屋
ファフォ
ファフォ
牛野
エヘヘッ 早く戻って ヤクモと 食べよ♡
でもゴミ捨て場で食べたくないなぁ…
牛野屋
ファフォ
ファフォ
ファフォ

シュウウウ
な　何　いったい!?
ザザァ

キャアア
ぐああっ
ドダァ

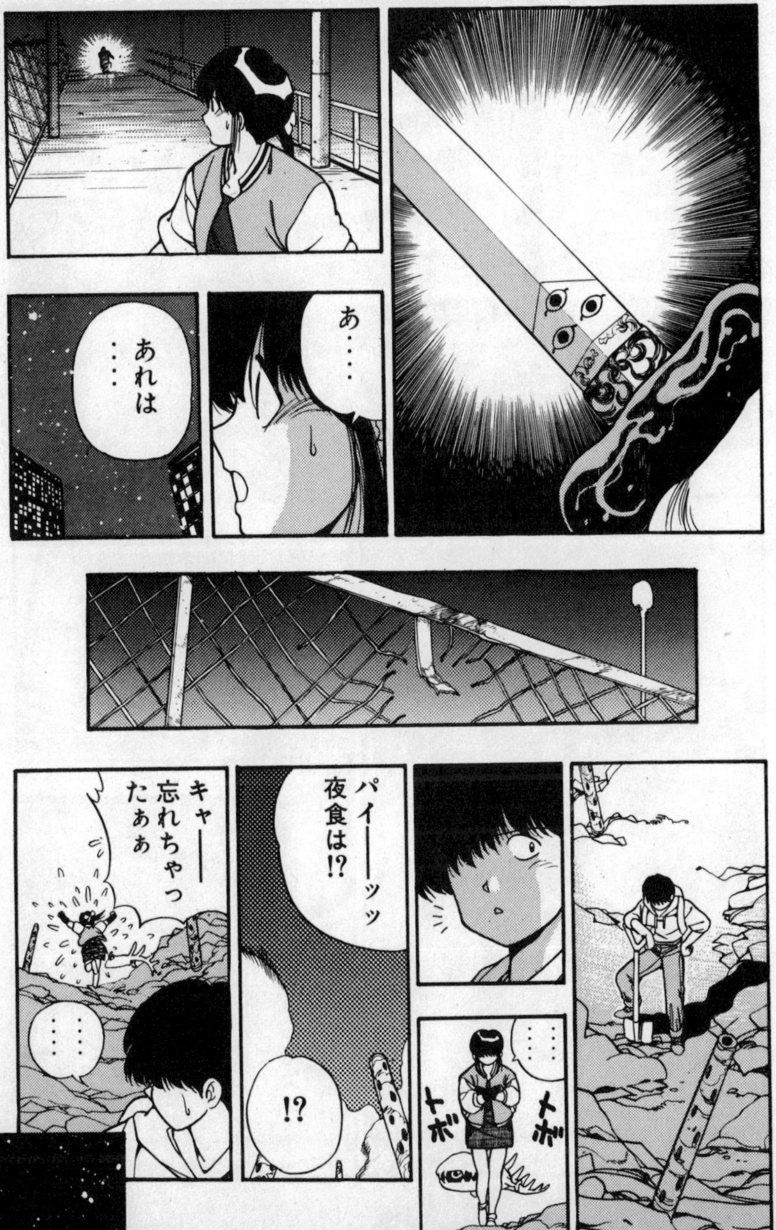
あ・・・・
あれは・・・・
・・・・
トボ トボ
パイーーッツ 夜食は!?
!?
キャーー 忘れちゃったぁぁ
・・・・

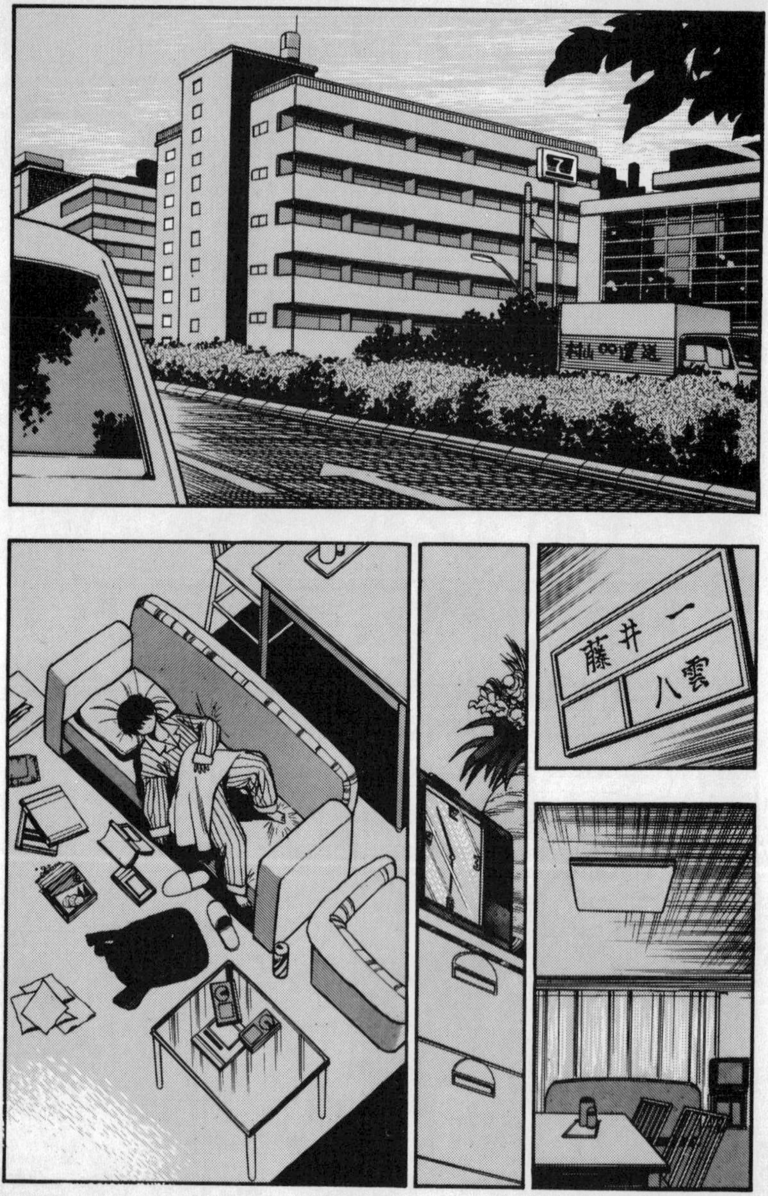
藤井 一
八雲

きしッ
んん……
きし
カサササ
ぎしッ
んー―
静《ひず》はにひて
ふへほー
毎日ゴミ
あはりへ
つかれてんらから
くー
くー
……
……
新聞
湾《わん》岸《がん》沿《ぞい》に猟《りょう》奇《き》通り魔
被害者計8人!?
戦後史上最悪の
頭かかえる
深川署
襲われた遺体
謎のミイラ化
新種の毒物か?

被害者の遺体
謎のミイラ化
新種の毒物か!?
いぜん、犯人は江東区内に隠れる!?
凶器は古い短刀!?
目撃者Aさんは語る
くしゃっ
ヤクモ・・・・
大好き

ムニャッ…
ふぁーぁ
んーー
いい夢見たなー
ヤクモ大好き
チュッ
でへっ
イハハ

ここんとこ暗かったから
気持ちがいいや
パイはこの〃穴〃をふさぎに来たの・・・・
なんてゆーからついつい・・・・
パイはヤクモに会いに来たんじゃないの
穴がふさがつたらスグに聖地に帰るわ
——って言ってるように思っちゃったもんな——
つるかめつるかめ
深く考えんのはやめよっと
カラッ
おーーい おはよーパイッツ
パ・・・・・
おーーい パイーッ
どこだよ どこにいんだよー
おーーい パ・・・・

さよなら八雲
今までアリガト♡
今度会う時は
人間になって
からね パイ
さよなら八雲
今までアリガト
今度会う時は
人間になって
からね パイ
パイ……
さよなら
今度会う時
人間になっ
からね

人間に

なるほど
ねぇ‥‥
帰って来たにもかかわらず
またも女に逃げられちまったわけだ
藤井は‥‥
都清掃局
そんなんじゃねーって
パイは必ず帰ってくるよ
今は何か理由があっての事なんだよ
東京都清掃局

そりゃ別に いいけどよ どーして 俺達が こんな所で バイトせにゃ ならんのよ
そーそー
俺達は コックだよ コック!!
だから 頼むよー
三つ目のマークの 入った調度品 探すの手伝って くれよ
今 俺とパイを つなぐモンは それっきゃないん だからさ
東京都清掃局
何だか わかんねー ケド・・・・
バイト料は しっかり もらうぜ
はい はい・・・・
――とは いうものの
何なんだよ このゴミの量は ・・・・
気が遠くなり そうだぜ・・・・
大好きだって キスしてくれた パイ――
あれは 夢じゃなかった んだ
でも それじゃ なおさら
なんで 俺の前から 姿を消したんだよ パイ・・・・

鬼眼王《カイヤンワン》のいない今
何の心配もないハズなのに
なぜ人間になるまで会っちゃいけないんだよ‥‥
パイ‥‥
おーいバイトぉ女の子が面会に来てるゾー
東京都清掃局
パイ!?
はぁい

こないだは イナゴから 助けてくれて アリガト 藤井君
いや 別に‥‥
命がけで 助けてくれるん だもん 私 感動 しちゃった
どーせ 俺らは ビビって ましたよ
まー いいって
それでね ‥‥
‥
イナゴの件もあるし 何かと騒がしくて 湾岸は怖いから 貸倉庫の件 あきらめようと 思うの

なんか
みんなと
お店やりたくて
少しあせり
すぎたかなって
気もするの
だから
もう少し
落ちついて
ゆっくり
考え直して
みようよ
何言ってんだよ!!
あきらめんなよ!!
俺達若いんだぜ
もっと冒険しようよ
やろーぜ
レストラン!!
チャンスを
逃す手は
ないよ!!
俺は
みんなと
一緒に
レストラン
やりたい
な!!
一緒に
店持とうぜ
桂木さん
ポオ…

で でも 通り魔事件とか 怖いし・・・・
へ？
藤井君が 私の事 守ってくれる ならいいケド ・・・・
通り魔？
何だよ 新聞読んで ねーのかよ？
ここら辺じゃ もう8人も やられてん だぜ
しかも 殺された奴らは 謎のミイラ化 ・・・・
ミ ミイラ化 だと・・・・
おい!! もー一回 言ってみろ!!
あ ゴメン 許して!! 実は俺も新聞は テレビ欄しか 見てないんだ

そうじゃねー!!
ミイラ化ってとこだ!!
それじゃまるで太歳《タイソエイ》の力・・・
ままさか・・・
パイはその通り魔を追って・・・・
冗談じゃねぇゴミあさりしてる場合じゃねー!!
パイが危ない!!
!?
こちら深川署全車両に告ぐ
ガガッ
ピーガガッ
通り魔犯人を発見JR京葉線新木場駅より14号地へ逃走中
△違法改造済デジタル(盗聴)無線

14号地‥‥
旧夢の島か!!
藤井
おまえ
いったい!?
悪いが
おまえら
先に帰って
くれ!!
待って
私も
行く!!
バカ野郎
どーなっても
知らねーぞ!!
待ってろ!!
パイ!!
魔都降臨 其ノ三 了

パイイッ
第四話
魔都降臨 其ノ四

夢の島公園
トゥル ルルルルルル
トゥル ルルルルルル

トゥルルル ルルル
トゥルルル ルルル
カチャッ
はい「カルチャーショック」です
フジイ…
ヤクモ君いらっしゃいますか?
は?
カルチャー ショック
八雲? 八雲は3日前から夢の島でバイトしてるよ
あんた——どちらさん?
は?

香港「妖撃社」のオーナー黄舜麗《ホアンシウンリー》です
いえ 仕事で日本に寄ったものですから
ところでパイちゃんは？
聖地から帰った…
なるほど
ええ それでは二人によろしくお伝え下さい
見事なお手並みですね迅鬼《シュンカイ》様
さあ…まだどうなるかわからんがね

ガサッ
た助けて……助けて……
はあ はあ
と通り魔が……
た助けて
し死にたくない……
ジタッ
ジタッ
ふん……出せ
はっ
たっ
ドスッ
ブロロ…
ヒッ

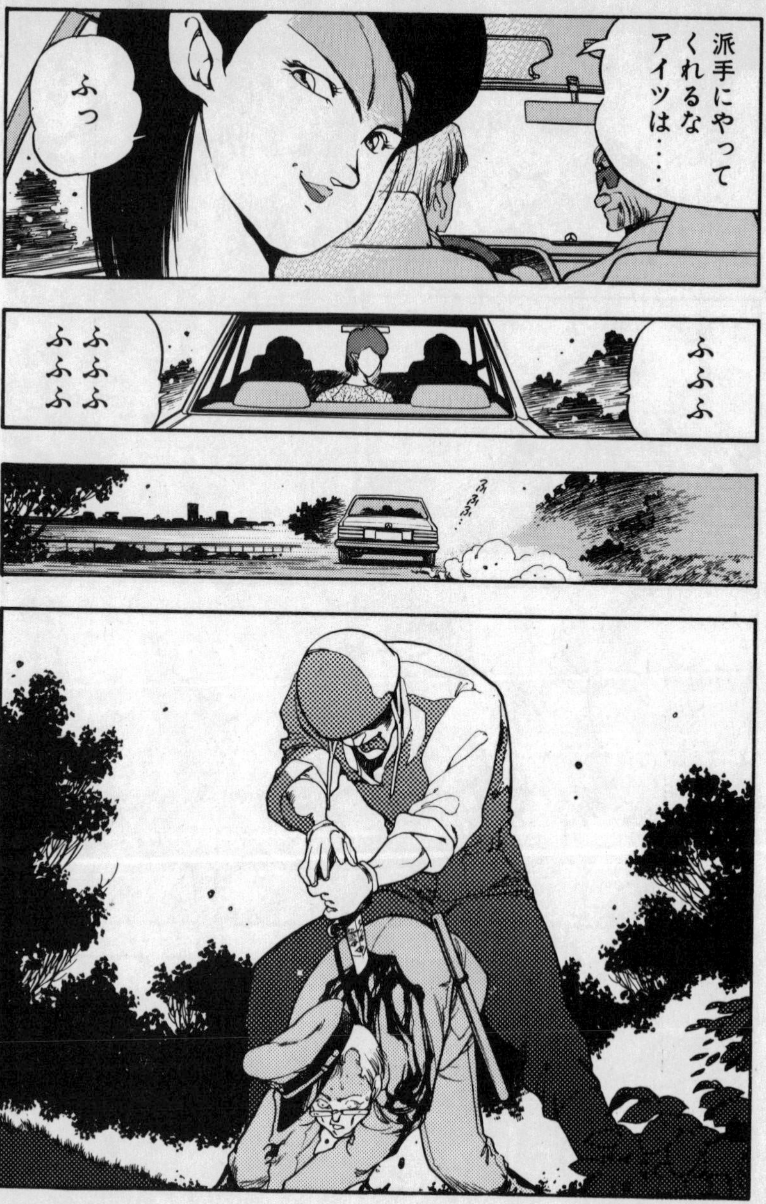
派手にやってくれるなアイツは‥‥
ふっ
ふふふ
ふふふ ふふふ
ふふふ‥

ミュウウ
ミュウウウ
ミュウウ!
ガサッ

見つけたゾ！
ぷんすか
あなた誰かに取り憑かれてるみたいだけど
パイは怒ってるんだから!!
たんっ
おとなしくその剣を渡しなさい!!

くそっ
旧夢の島ったって——広すぎてどこだかわかりやしねぇ・・・
・・・・・・
何だおまえ達は!?
ここは立ち入り禁止だ早く帰れ
おまわりさん・・・・
通り魔は・・・・通り魔はどうなったんスか!?

植物園近辺で見失って現在捜索中だ
サンキュ
こ
こら!!どこへ行く!!
捜査の邪魔するな――
待てガキ――ッ
くそ――っっ待ってろよパイ!!
パイッツ!!
藤井君・・・
あん?
事情はよくわかんないケド・・・よっぽど彼女が心配なんだ・・・

本当は その女《ヒト》と お店やりたいん でしょ
そ そーじゃなくて 俺はみんなで・・・
いいって!! 私 応援する から!!!
なんてったって 藤井君は 私達のお店の オーナーだもの
スーパーパース
でも ひとつだけ 約束して
もし その彼女がまた 藤井君から逃げても 藤井君は お店辞めないでね
・・・・
私達の夢を 見捨てない でね・・・・

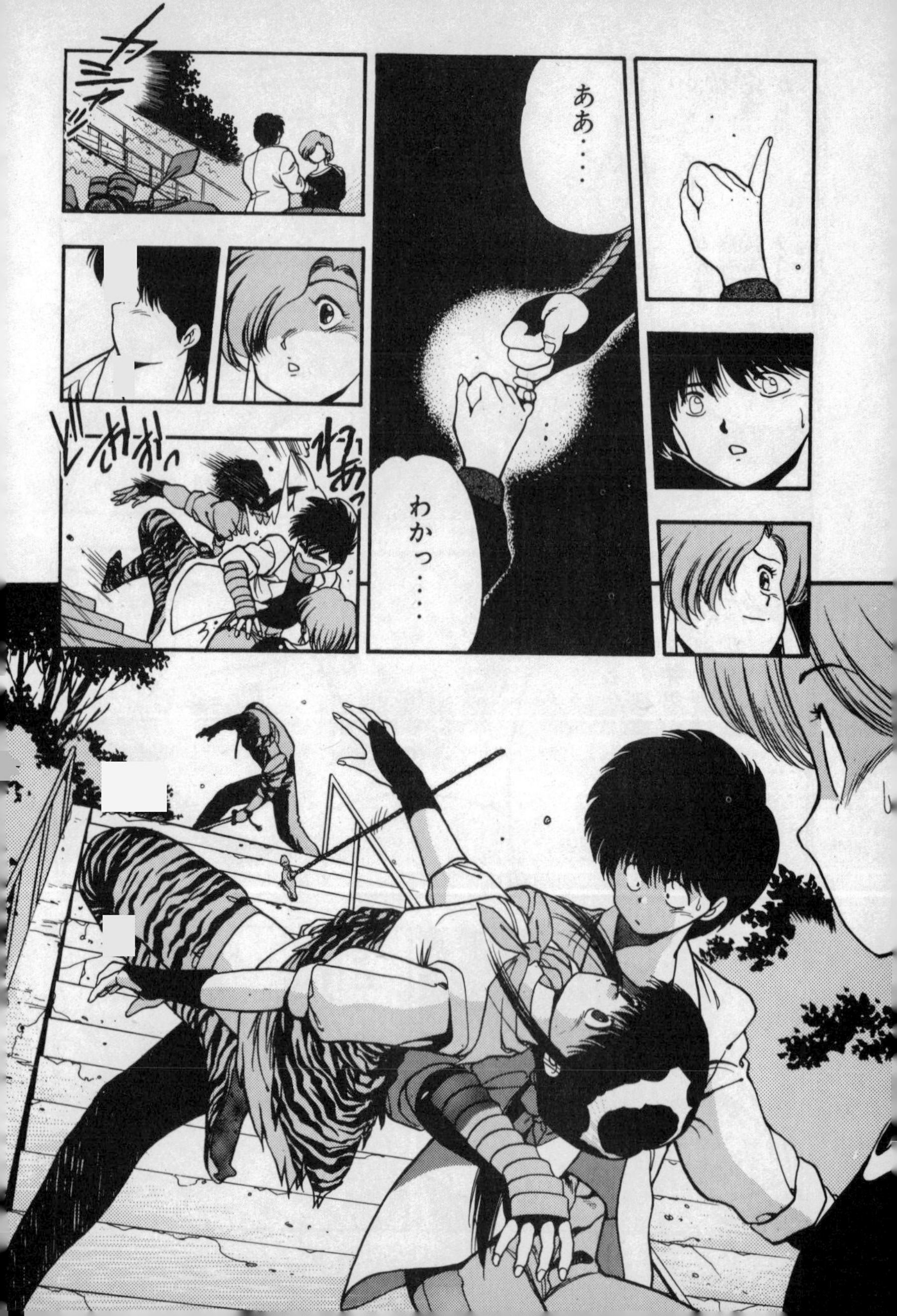
ああ・・・・
わかっ・・・・

はにゃっ
へっ
ヤクモ どうしてココに……
それは俺のセリフだぜ
さあ来い化け物!! おまえの相手は俺だ!!
気をつけてヤクモ!! この人ただの人間なの!! 何かに操られてるの!!
くのおおっ

カキィン
どうやら望ましい形になったようだな・・・・
もはや追いかけて来た八雲をふり切って聖地へ帰るなどあの娘にはできますまい
ふふっ
聖地に閉じこもったパイをおびき出すのには苦労したぞ
〃太歳《タイソエイ》〃という・・・おどしが効きましたな
少々危険な奴を目覚めさせてしまったがそれも仕方あるまい

鬼眼王《カイヤンワン》亡き後
不老不死を望む妖怪《バカモノ》どもの興味は唯一生き残った三只眼《さんじやん》——パイに集まった‥‥
身の危険を感じたからか それとも人間どもを巻き込みたくなかったからか ‥‥パイは聖地に閉じこもった
生半可な事では出て来なかったであろう
しかし もう聖地へは帰さん!!
我が手には『ニンゲンの像』があるのだ!!
この私—— 迅鬼《シュンカイ》を頼ってこい!!
第二の鬼眼王《カイヤンワン》にまつりあげてやる!!
パイ!!

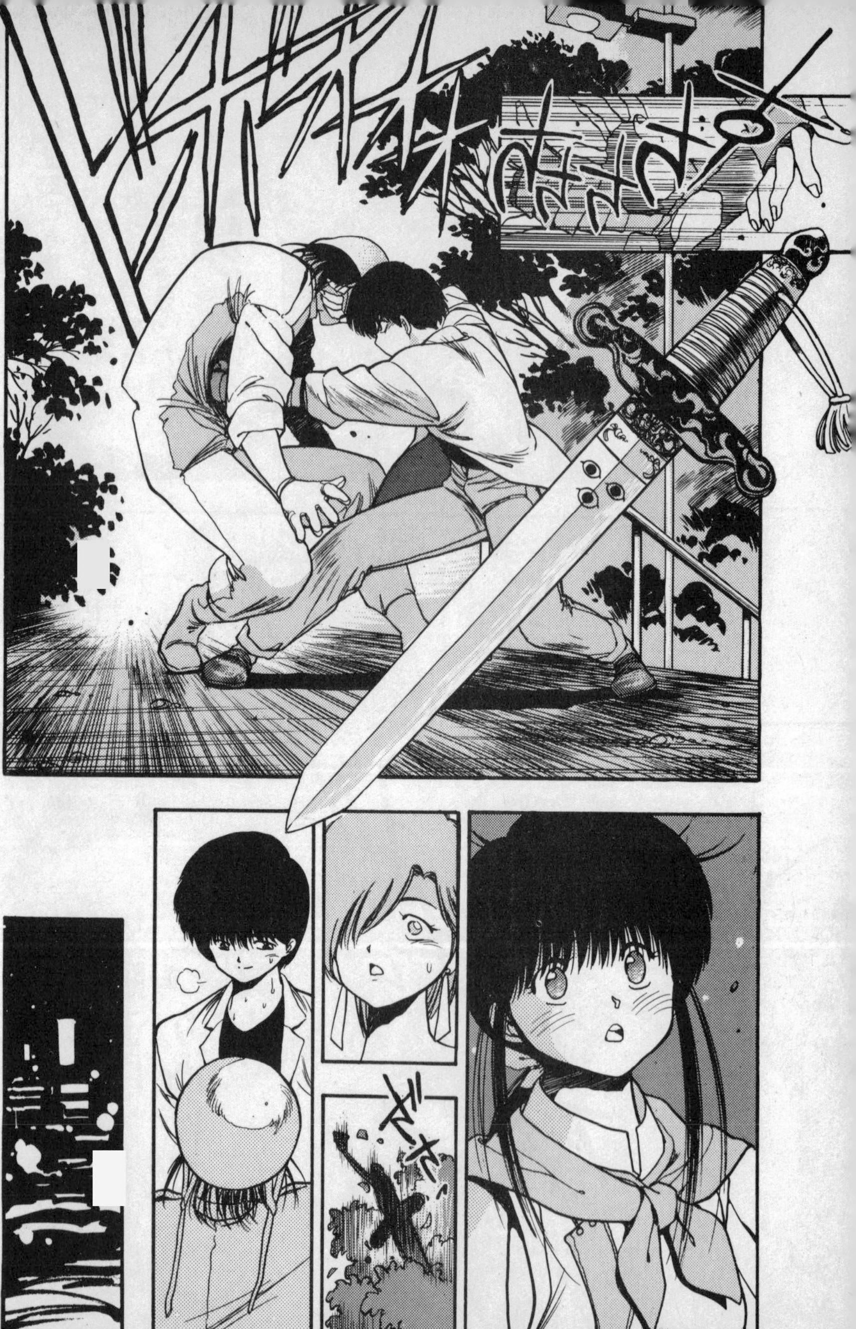
ズサッ

ごめんね ヤクモ・・・・
パイは 人間に ならなきゃ フツーの生活 できないの
たくさん たくさんの 人を巻き込ん じゃうから ・・・
現に今だって 崑崙《コンロン》の門が 偶然開くハズ ないもん
聖地へ戻るか 人間になるか か・・・・
また二人で でかけようぜ
人間になる 旅に
アリガト♡
でもダメ 今のヤクモの生活 壊したく ないもん・・・・

そ そっか 今の生活か・・・・
・・・・ ・・・・
藤井君・・・・
行かないよね 約束だもんね
ピク

魔都降臨 其ノ四 了

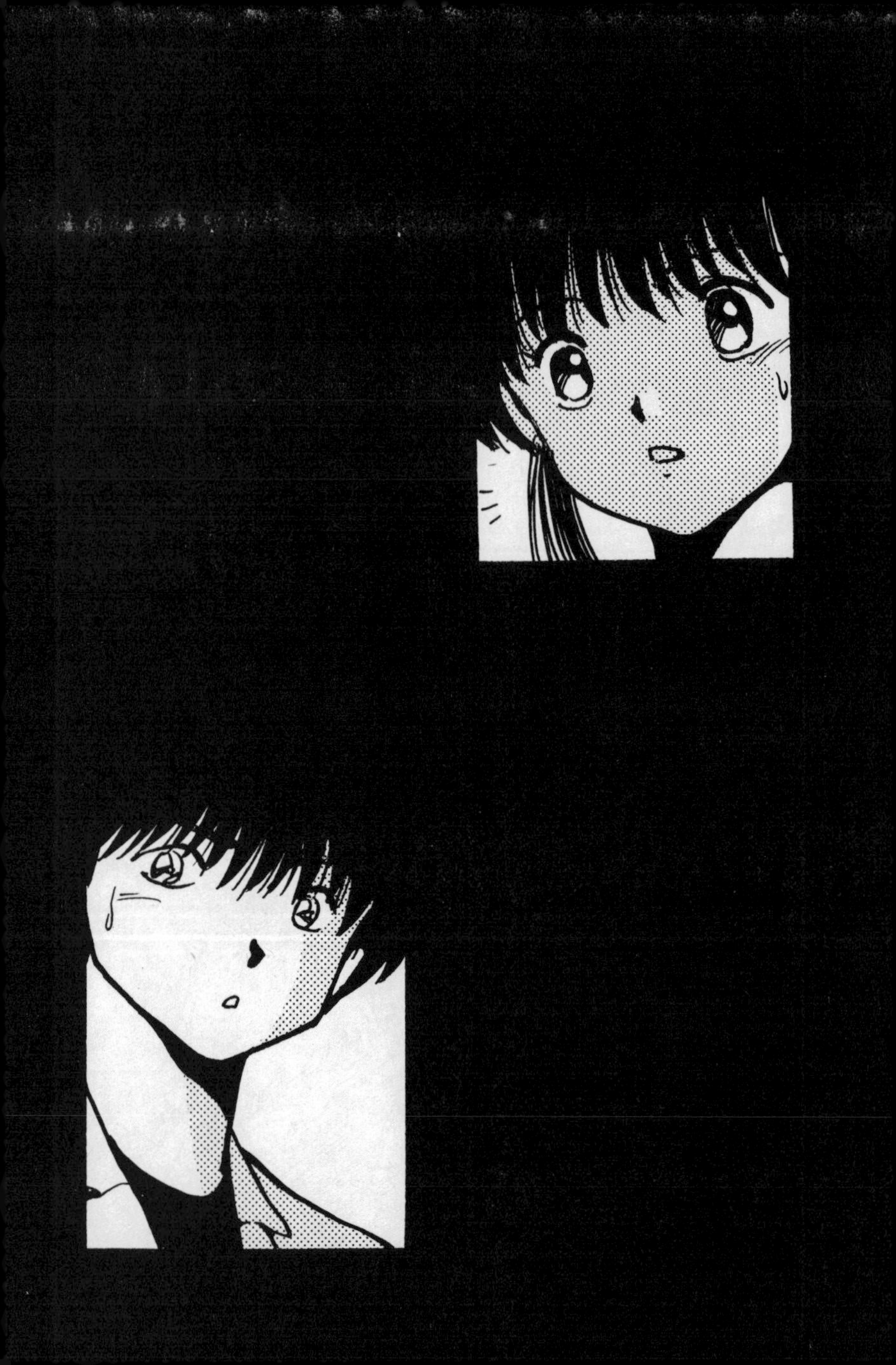

か桂木さん!?
アイヤー今度はあの娘が取り憑《っ》かれちゃったの!?

やめろ!!
その剣を
放せ!!
咲子ォ!!
咲子ォ!!
ドガァァッ

第五話
魔都降臨 其ノ五

ううう
ヤクモ
待てっ咲子!!
行くな!!
行っちゃダメだ!!
動いちゃダメヤクモ!!
咲子!!
ヤクモ!!

アイツは俺のダチンコなんだ!!
その咲子に人殺しなんかさせられねぇ!!
警察に捕らえさせてたまるか!!
うわああっ

!!
ヤベェ…あいつらだ
くそーバカ野郎!!
いったいどこのどいつだ!!
ザッ
!?
シィッ

さ　咲子……？
い　いったい何が……
ダメだ……このまま咲子を逃がしたら大変な事に……
ゼェゼェ
タクヒ!!
飞腭《フェイオー》!!
あの娘のアトを追いかけて!!
キィイィン
!?
?

藤井!?
!?
いったい咲子に何があったんだ!?
……おまえ
そのウデどーしたんだ!!
おい藤井!!何があったんだよ!?
その娘はいったい!?
どーしたんだよ藤井!!
おい!!

みんな!!
すまないっ
!?
今は
何も話せない‥‥
聖地の事 剣の事
俺とパイが
人間じゃない
って事‥‥
やっぱり
俺達が
人間にならない限り
みんなに係わっちゃ
いけなかったんだ
——だけど
望みは
ある‥‥
三《さん》只《じ》眼《やん》吽《うん》迦羅《から》には
〝ニンゲン〟という
像を用いて
人間になる秘術が
古代 あったんだ!!
未だに
解明できてないケド‥‥
これから先何年かかるか
わかんないケド‥‥
その術さえ
探しあてれば——

お店辞めないでね
私達の夢を見捨てないでね
くっ
ヤクモッッ
なんで逃げるんだ藤井!!
くうっ
!?
さ!!早くお乗りなさい
!!

オーナー!!
黄《ホアン》さん!?
「カルチャーショック」のママさんに聞いて来たの
お帰りパイちゃん♡
話はアト!! 乗って
!?
なるほどね 昆侖《コンロン》の門が開いて〝太歳《タイソエイ》〟って妖怪の封印が解けたってワケね
で どうするつもり? 八雲君

その娘を探すといっても東京は広すぎるわ
どうするの?
……
……
犯人の逃走経路依然不明――
警察の方はまだ大丈夫みたいですね
!?
こ ここはいったい?
何だ? 俺どーしたんだ?
あんた達誰なんだ?
心配しないで
あなた誰かに取り憑かれてたの
いったい何があったのかパイに教えて
東京都清掃局

・・・・
う
埋立地・・・・
そう――
俺は中央防波堤埋立地で働いていたんだ
ある日俺はそこで
!?
変な物を見つけたんだ・・・・
カラスだ・・・・
短剣に刺されたカラスが捨ててあった・・・・
誰だよこんな事しやがったのは!?
まったく東京の連中が何でもかんでも捨てるからこーゆー事になるんだぜ
ガスッ

こんな
リッパなもん
捨てやがって
もうすでに
ゴミ捨て場が
満杯になってる事
知らねーのか
ってんだ
東京都清掃局
東京都清掃局
な
何だ 今の
ヒヤッと
したのは‥‥
いったい
‥‥
!?
あ
あれは!?
都清掃局

そ
それから おぼえが ないんだ・・・・
いったい 俺は・・・・
太歳《タイソエイ》が 剣に 取り憑いた のね
剣を媒介に 人間を操って 採生し続ける・・・・
一度解けた 封印—— 〝昆侖の門〟を 閉めさせない ために？
！
たぶん・・・・
その間に 孵化《ふか》しようと してるんだわ
やばいな 検問だ
シートの 背もたれを倒して その男を トランクに 隠して下さい

現在 殺人事件発生中でね この区域は立ち入り禁止ですよ
ただちに退去して下さい
ソーリー
!!
退去だと!?
そんな事じゃとても咲子を探すなんて不可能だぜ!!
いったいどうする!!どうしたらいいんだ!!
ところで短剣を取りあげたとして その後どうすればいいの?
開いた〝穴〟の下――昆侖《コンロン》でその剣を炎にかざして採生した血を清めれば〝穴〟はふさがるの

剣を・・・・燃やす?
昆侖《コンロン》――埋立地で!?
ん
何か思いついたの?
・・・・・・
ん
ブォォ・・
咲子が警官を襲うなんて
はやまらなければいいが・・・・

でもどうやって探すの？八雲君
いえ……見つかりっこないから
探さないっス
今の咲子は太歳《タイソエイ》の分身です
だから咲子の方から剣を持って来させてやる!!
昆侖《コンロン》に!!
ぐっ…
しゅう
しゅーっ
太歳《タイソエイ》本体を叩くぞ!!
魔都降臨　其ノ五　了

一人で行くなんてムチャよ!! やめてヤクモ
太歳《タイソエイ》は怖い子よ!! ヤクモやられちゃう
絶対にただじゃ済まないから!!
ざっ
だから行くなって言うのか? パイ‥‥
ドキン
‥‥‥‥
ううん
ね!! ヤクモ

パイも行く!!

第六話
魔都降臨　其ノ六

すいません!! オーナーは「カルチャーショック」で待ってて下さい
行くよ ヤクモ
わかったわ この男の人は適当な所で逃がしとく
恩にきます
いーわよ これくらいの事
恩に きろきろ!! もっときろ!!
ホーッホッホッ
ホッ
ありがとーおばさーん!!

誰がおばさんだって……
誰が……
メキョ
メキョ
てめーは三百歳のババーだろーが
あ ああ…ベンツが……
まず……
立入禁止
どこからおジャマするの？
ヤクモ!!
ん
とりあえず爆裂缶で体中燃やしてやる!!

それでダメなら目玉をつぶしてやる!!
いくら倒せねぇ化け物でもまだ繭《まゆ》の中だそこまでされりゃあ分身の咲子で身を守るしかねーだろ!!
さあ来い咲子!!
もう油断はしない!!必ずとりおさえて助けてやるぜ!!
カチッ
だから咲子——

それまで決して人を殺《あや》めないでくれ
咲子!!
ピッ
こちら深川32号
ただ今夢の島公園内を巡回中
犯人は確認できません
ピッ
こちら深川16号
城東署と合同で明治通り封鎖犯人発見できず
はい本部了解しました
えー深川20号
20号応答して下さい
ピッ
20号異常はありませんか?

こちら本部・・・・
20号応答して下さい
ひ ひい・・・・
ううっ
20号・・・・
ぎゃっ
ぎ
ひっ・・・・
ぐりっ
ぐうっ
ばっ
化け物オオ

!!
じゅ
巡査長!!
ひいいっ
た
助けてくれぇぇ
ひっ!?
!?

ビクッ…
ダーンッ
?
ズッ
ドシッ

た……
助かった?
い……
いったい?

おおおお
ぶしゃ

へへっ
手ごたえ
あり!!
ヤクモ
もう十分!!
早く離れよ
こいつぁ
単なる
デクノボー
だぜ
ヤクモ‥‥
大丈夫だよ
パイ
目を失った
からには
こいつは
咲子を呼ぶしか
ないよ
へへっ
ヤク‥‥
え？

うわあぁ
!?

ぐうっ
うわああ

へへへっ お早い お着きで
へへっ
さぁ来い 咲子
今度は さっきの ようには いかないぜ

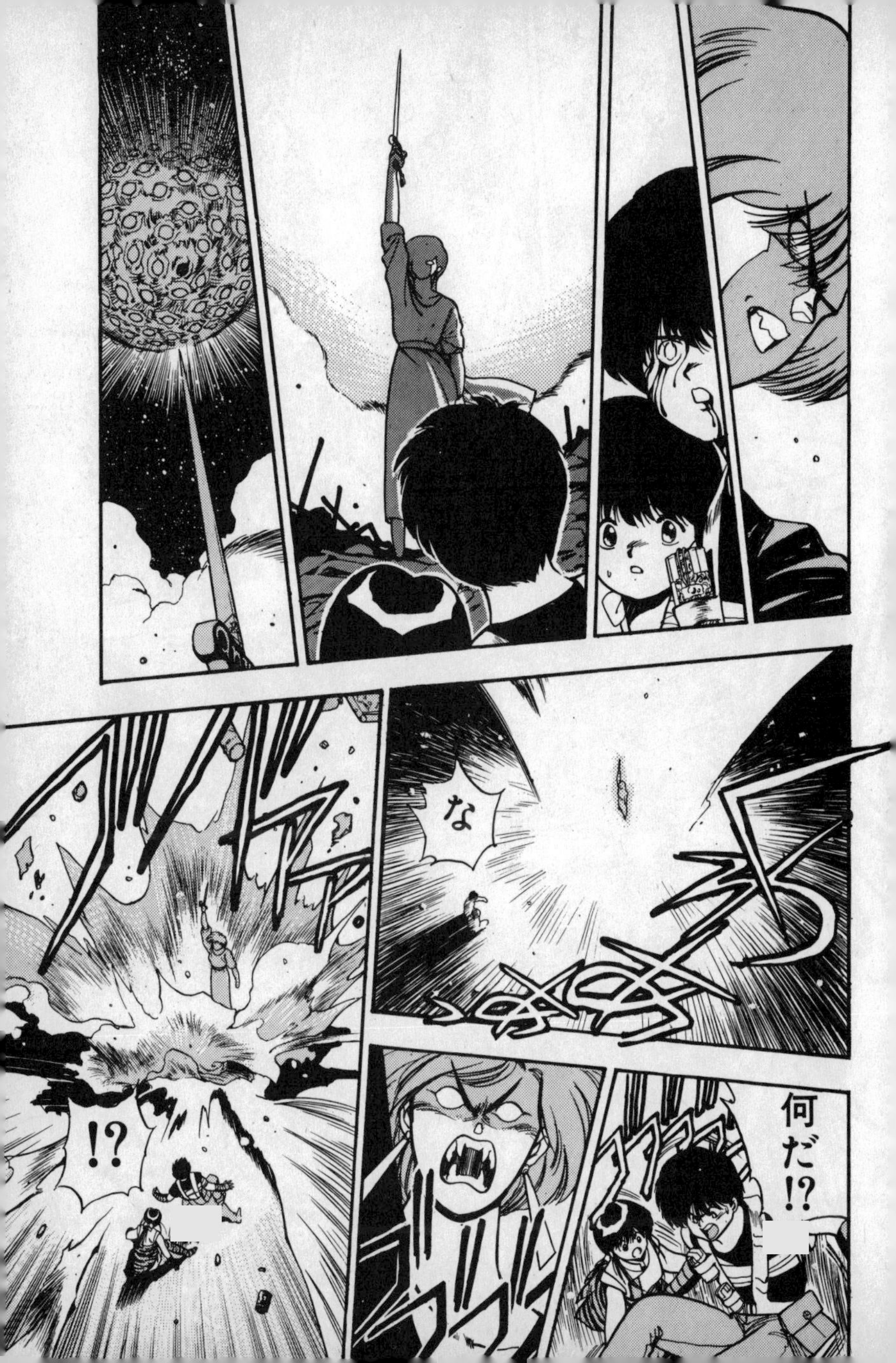
な
何だ!?
!?

アあああ
!?
イッ
イナゴ!?
魔都降臨 其ノ六 了

おおお
きゃあぁ
ふわ
あ…
くそォオ
咲子ォオ

その剣を渡せーーっっ
ヒュルルル
おわああ
ヤクモォォ
うわああっ

第七話
魔都降臨 其ノ七

本日未明 東京湾埋立地に おいて イナゴの再発生が 確認されました
PNN
さらに 上陸のおそれも あり 警視庁および 東京消防庁は 付近住民の避難を 呼びかけています
これが 湾岸からの 映像なんですが
かなりの数の 発生とみられ これ以上 近づくことは できません
SONY

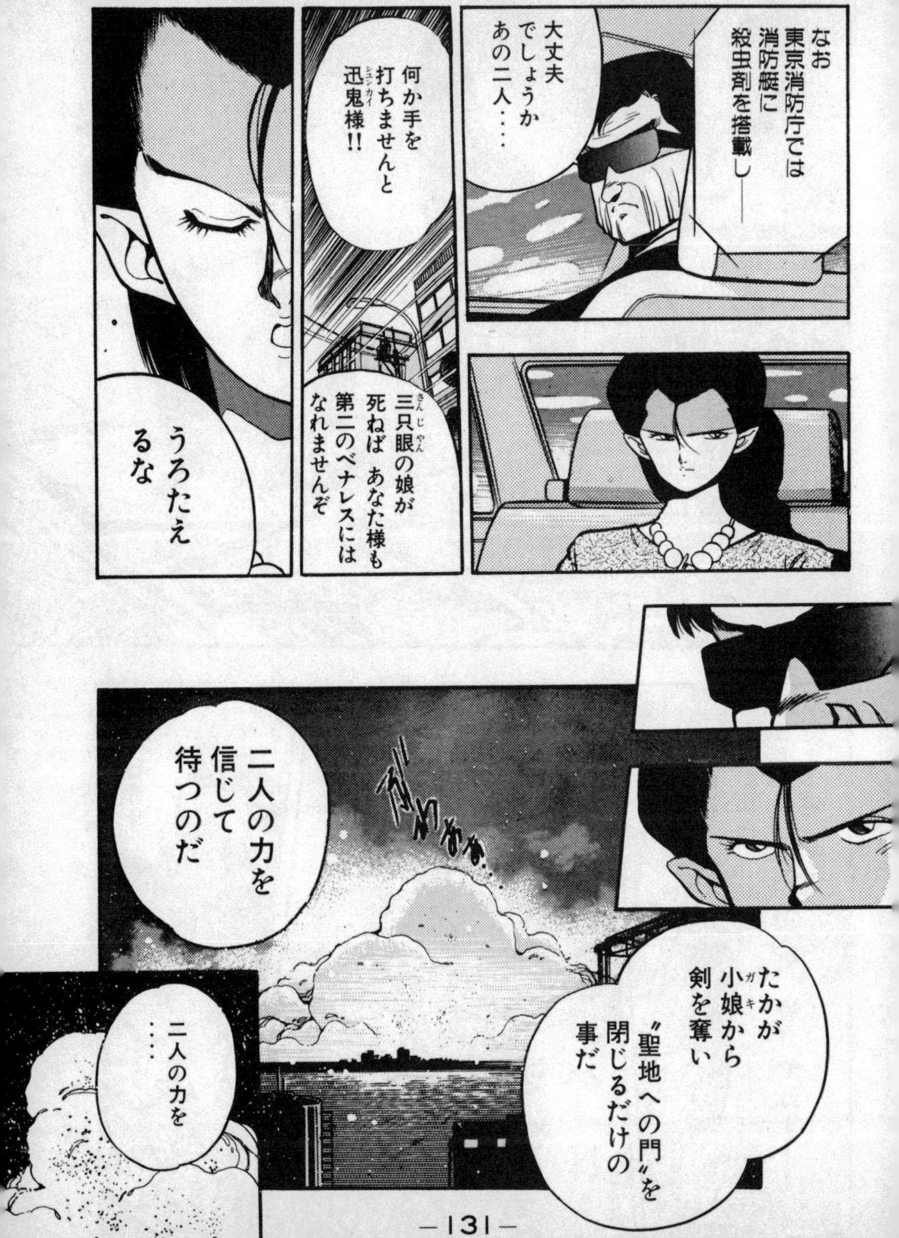
なお東京消防庁では消防艇に殺虫剤を搭載し——
大丈夫でしょうかあの二人‥‥
何か手を打ちませんと迅鬼《シュンカイ》様!!
三只眼《さんじやん》の娘が死ねば　あなた様も第二のベナレスにはなれませんぞ
うろたえるな
たかが小娘《ガキ》から剣を奪い〝聖地への門〟を閉じるだけの事だ
二人の力を信じて待つのだ
二人の力を‥‥

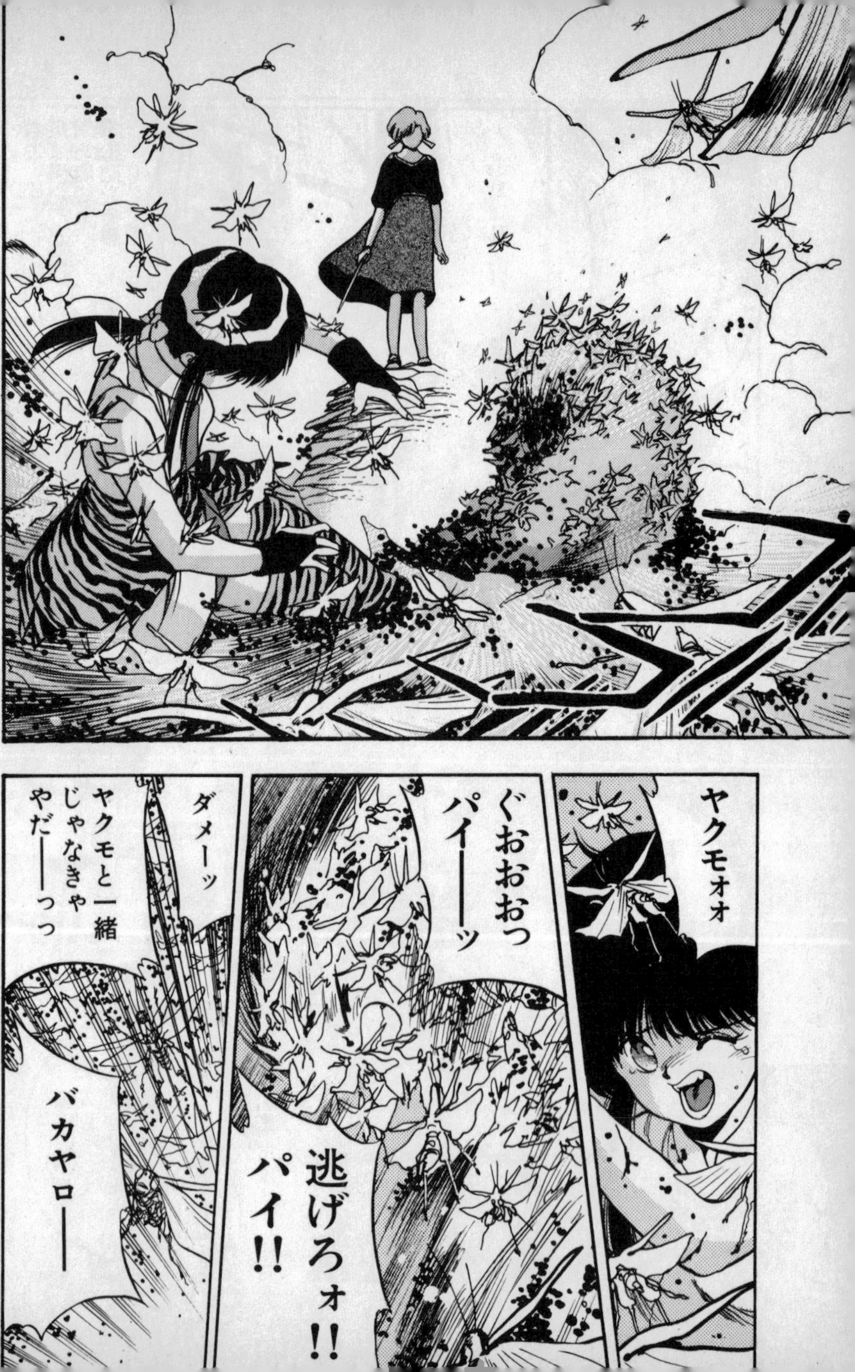
ヤクモォォ
ぐおおおっ
パイーーッ
逃げろォ!!
パイ!!
ダメーッ
ヤクモと一緒じゃなきゃやだ——っっ
バカヤロー——

そんな事 言ったって
おまえが死んじまったら
俺は・・・・
!!
キャアアアア
パイッ
!?

!!
行くよ!!
飞腭《フェイオー》!!
パイッ
ヤクモオオ

ヤクモオオ
パイーーッ
ザァーおお
ギィイイン
ギュいいいい

すまね
太歳《タイソエイ》を見くびりすぎた
ああ・・・・
ううん いいの ヤクモが生きてれば
!!
早く逃げよ
もう体が動かねぇ
一時退却して態勢を整え・・・・

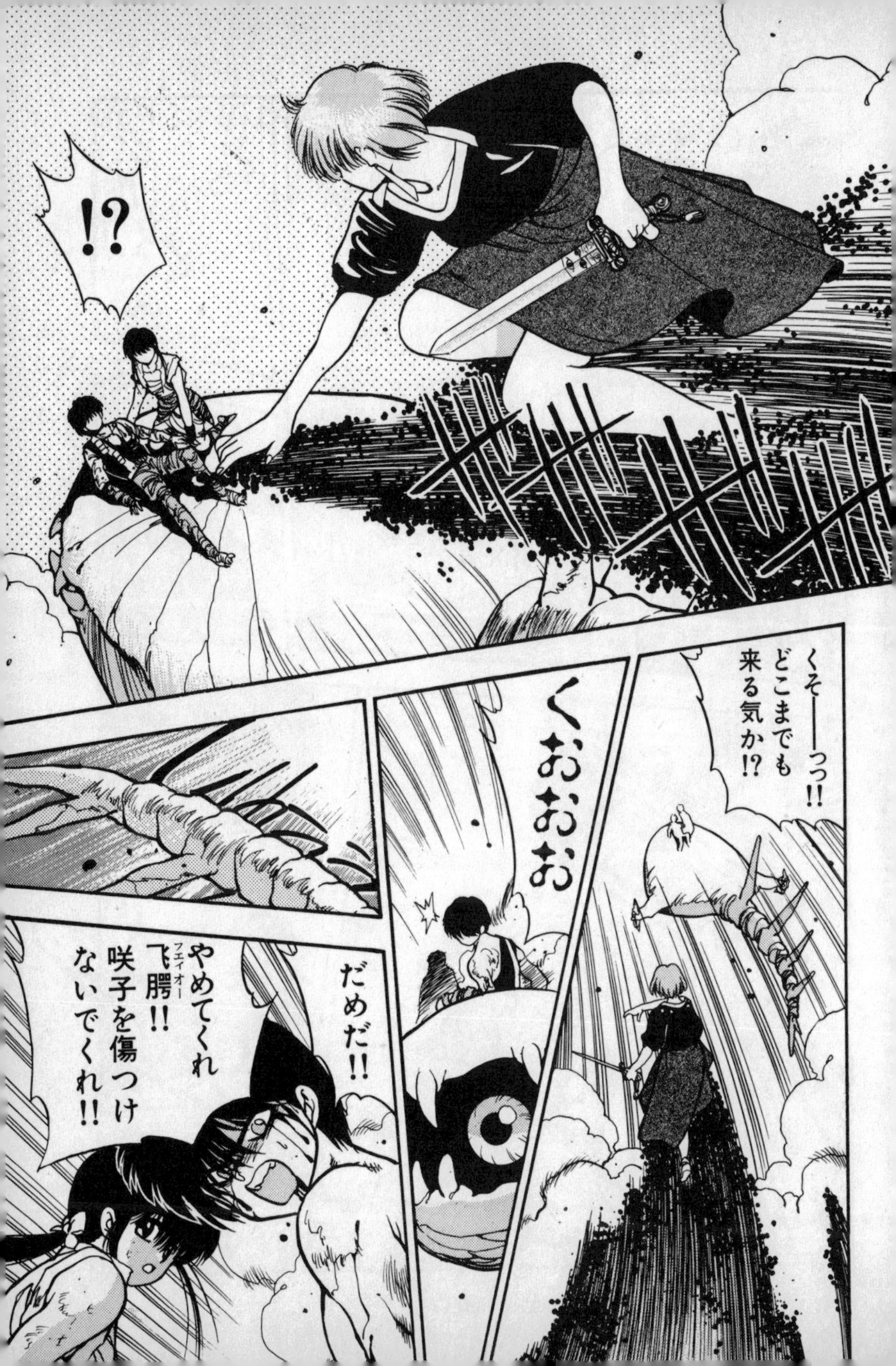
!?
くそ──っっ!!
どこまでも
来る気か!?
くおおおお
だめだ!!
やめてくれ
飛鵬《フェイオー》!!
咲子を傷つけ
ないでくれ!!

ピクッ
逃げろ!!
逃げるんだ 飞腭《フェイオー》!!
今はそれしかできねぇ・・・
何!?

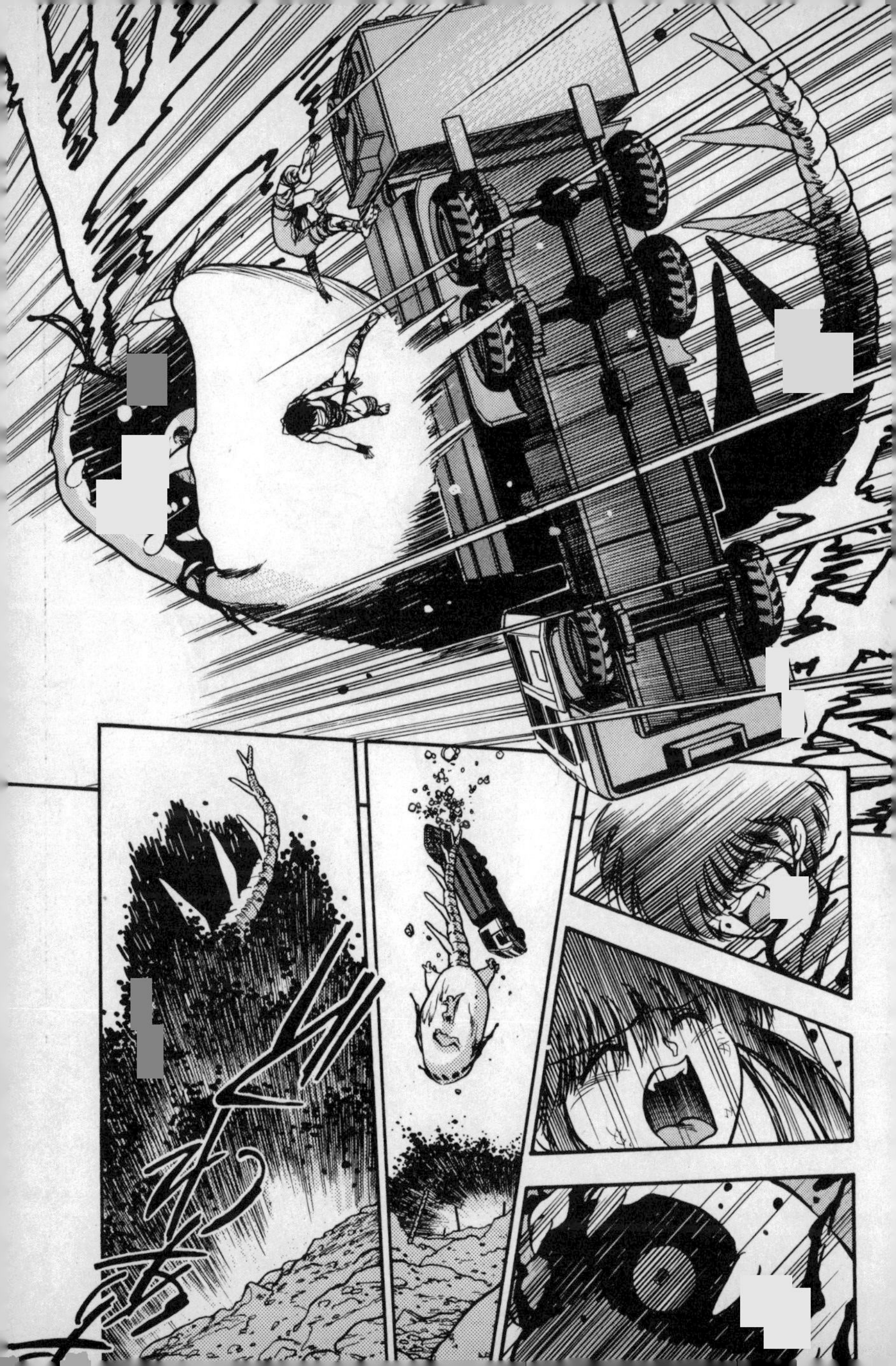

ヤクイ!! 俺の体ももはや限界だ!!

ダメエッ
いやぁ　ああああ

パイイッ

くっそおっ
うっ
ううっ
熱いっ
ううっ
しっかり
しろ!!
パイ!!
熱い……
体が熱い……
ヤクモ……
待ってろ
パイ!!
今すぐ
太歳《タイソェイ》を封じて
……
うっ

魔都降臨／其ノ七　了

でええっ
東京都清掃局
くえええええええ
くそったれぇ
もう
どうにでもなりやがれぇ――っっ

土《トウ》爪《チャオ》おおっ
くわっ
うわあああ

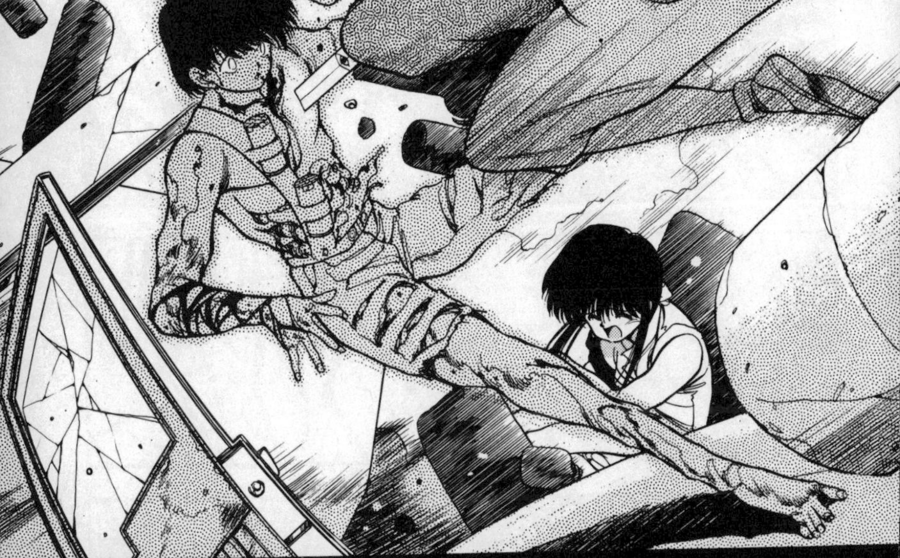

第八話
魔都降臨　其ノ八

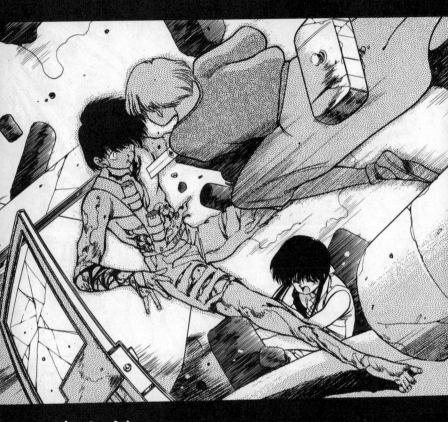

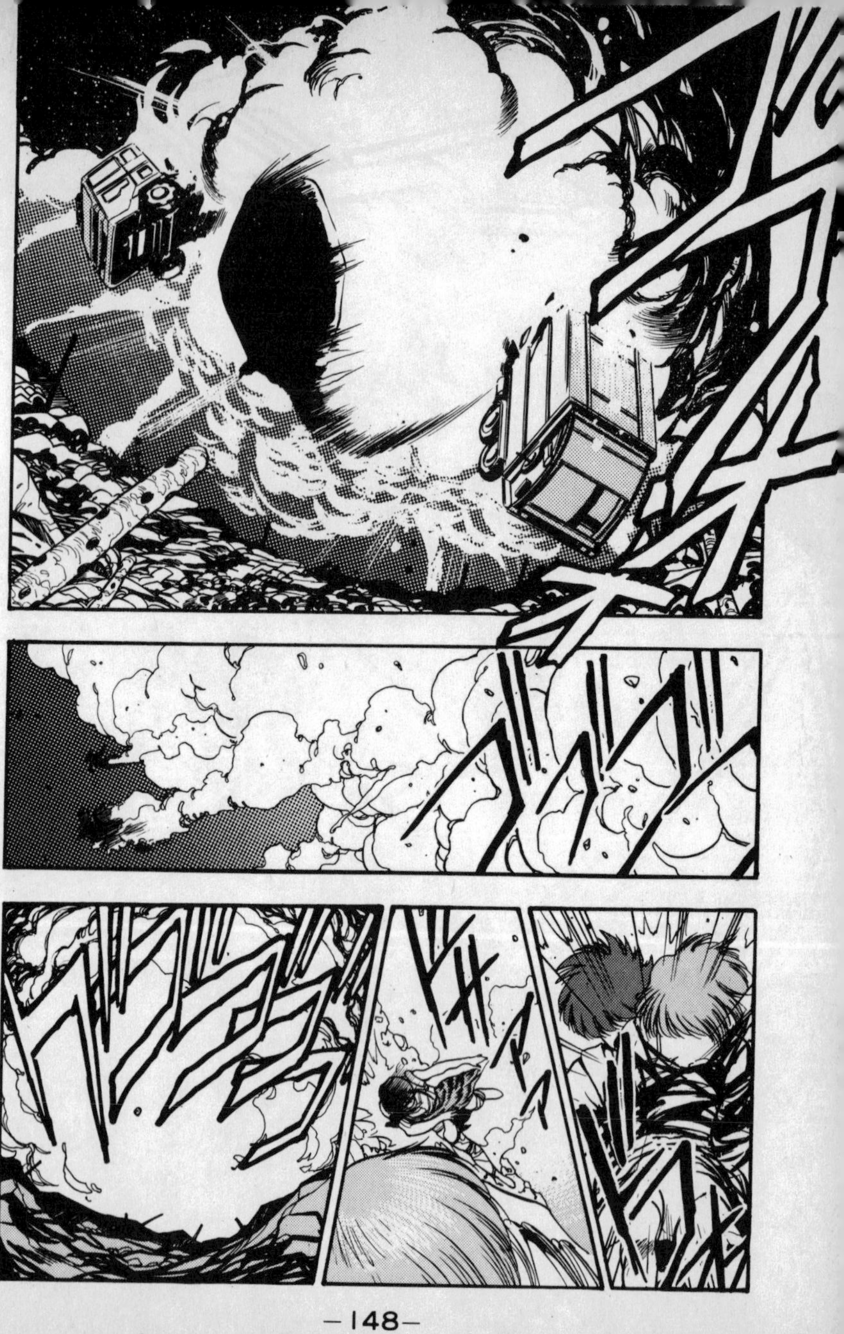

すみだ
東京
何だ!!
いったい何が起きたんだ!!
わかりません!! イナゴの群れの中で 何かが爆発したもようです
イナゴの次は爆発か!? くそったれ!
臨港署に緊急連絡!!
化学消火剤を持って来させろ!! 殺虫剤は放棄する!!
しかし士長!!
やかましい!! 地下のゴミから発するメタンガスに引火してみろ 不燃ゴミが燃えて ＊ダイオキシンが発生しちまうんだ! 急げ!!

＊ダイオキシン＝ベトナム戦争における枯葉剤。超有毒。

ズゾゾゾゾゾゾ
くっくっ
くっくっ
くっ
シューウウ…
くーっ
くっくっくっくっ
くっくっくっくっ
シュウウウ…

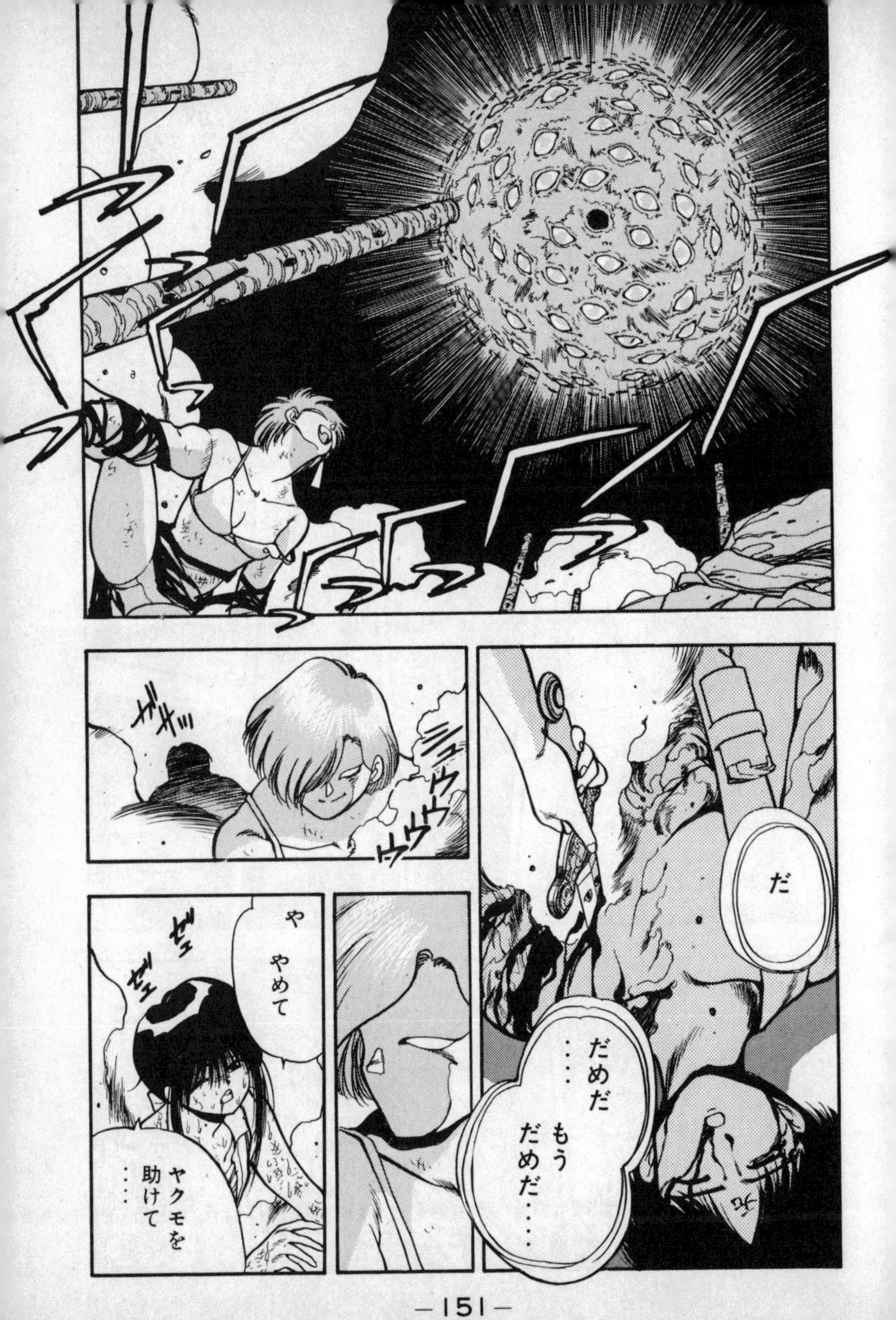
だ
だめだ……
もう
だめだ……
ザザッ
シュウウウウ
ゼェ
ゼェ
や
やめて
ヤクモを
助けて
……

ヤクモを放して!!
刺すならパイを刺しなさい!!
ずず
ずず

すまねー咲子!!

ドガァ
うっ
おおお
わあぁ
へへっ……
太《タイ》歳《ソエイ》……
短剣は
俺が
もらったぜ

もう遅《おせ》ぇ!!
あばよ
化《バ》ケモ‥‥
藤井君!?
どーしたの!?
何があったの!?
大丈夫!?
今行くわ!!
逃げろ!!
早く逃げろ
咲子ォォ!!
そんな!!
藤井君が
死んじゃう!!
死んじゃやだ
藤井君!!

ねーー
みんなで
一緒に
お店出そうよ
金カンパしてくれよ
青年実業家だぜ
俺達
できるのか
オメーに？
フツーの
生活が・・・
約束よ
オーナー
やってね
私達の
夢を
見捨て
ないでね

悪《ワリ》イ
やっぱり約束は守れない
いつの日か必ず帰ってくるから
藤・・・・・
ザッ
!?
烏龍茶
カチリ

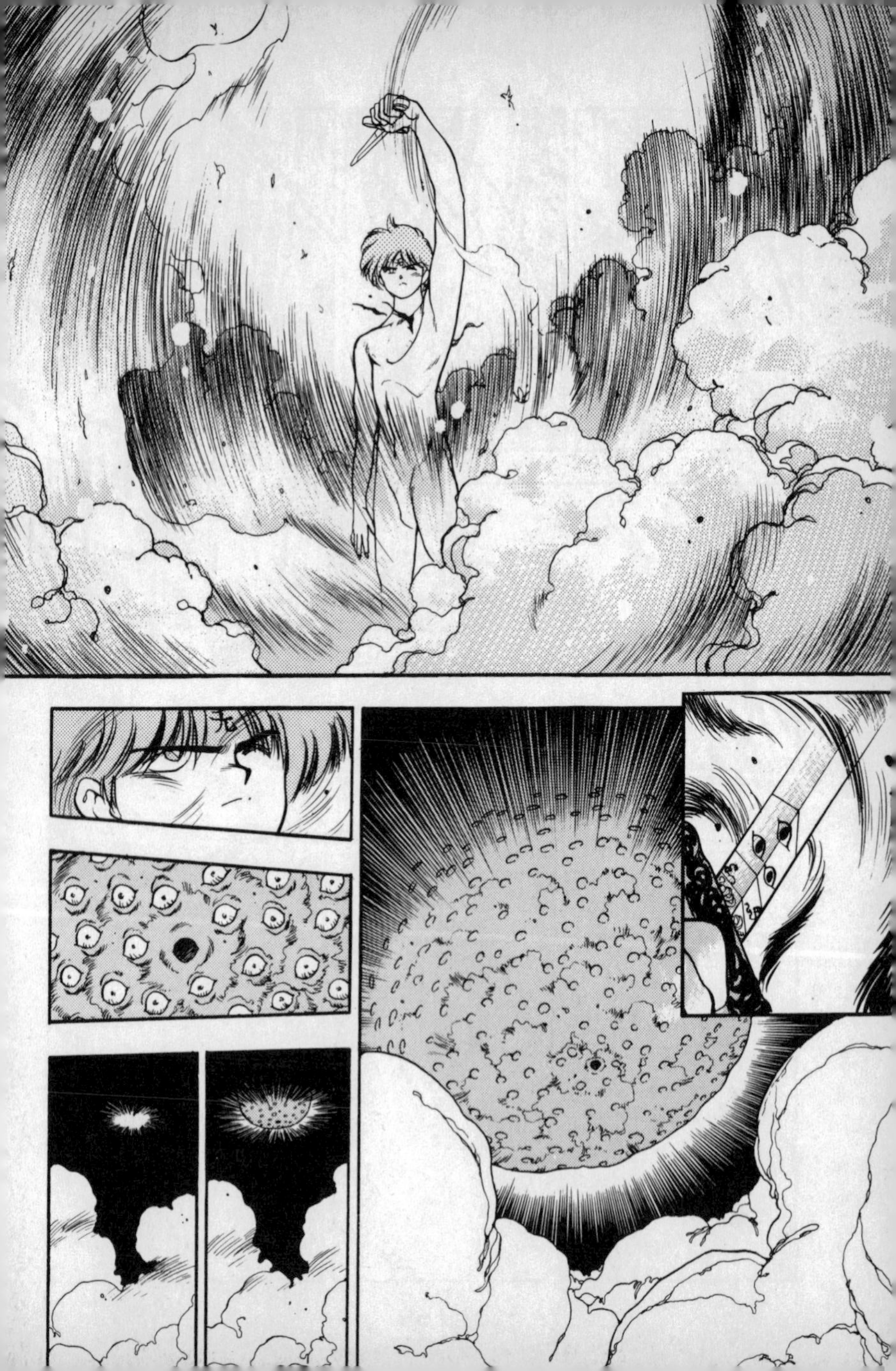

あばよ・・・
咲子・・・・

魔都降臨　其ノ八　了

第九話
魔都降臨　其ノ九

昆侖《コンロン》か・・・・
・・・・・・
プクプク
ズッ
危ない存在だぜ・・・・
確かにナパルバ達が闇に葬ろうとするワケだよ
ふいーっ

場所に限定があるとはいえ――
世界中どこでも好きな所へ聖地を通じて移動できるんだもんな
これじゃドラえもんのどこでもドアだよ
まあ幸いにも今回の「崑崙《コンロン》」が埋立地の上だったからよかったものの
軍事基地や原子力発電所の上だったら俺一人じゃどうにもできなかっただろうし――
その存在が世界中にバレれば
真っ先に軍事やテロに使われるんだろうな‥‥
まさに核ミサイル並みに怖い存在だぜ

3X3EYES
おつかれ様
アリガトヤクモ
パ……
……
!?
わーっっ
バカ!!
あっち向けあっち!!

どーしたの
ヤクモ?
早く上がって
手当てしないと
ケガによく効く薬パイ作ったのよ
いらん
いらんいらん!!
却下だ
却下!!
ダメーーッ
♪
バ
バカ者っっ
わーーっっ

ちょん
ゴバーーッ
ゴボボ
はて？あれはいったい何だらう
おまえなーーっっ
女なら少しは恥じらいをだなーー
え

SINJUKU
ニューハイツ
さて 上陸が心配されて おりました 東京湾のイナゴ ですが
今朝早く 埋立地で 起こった 火事により 全滅した事が さきほど 確認されました
マーケティング 天国 カムバーック!!
ああ上田さんの顔が思い出せないぃ…
なお 火災により 有毒ガスが 発生しましたが
幸いにも 消防艇が 現場に接岸しており 火はまもなく 鎮火いたしました

一件落着といったところですか・・・・
ニッ
どうやらそのようですわね・・・・
で？あの二人はどうするつもりだと？
さあ・・・・
スー
スー
クー
どうするつもりですかねぇ？
八雲はもう 友達に別れを告げて旅立つつもりらしいですがね

旅に出ても どーした もんだか….
くー くー
まあ 4年間も 世界中かけずり まわって 調査してても 「三《さん》只《じ》眼《やん》人化の法」は 未だハッキリ してませんからね
とは言っても このまま 一般人の中で 二人が生活するのは あまりにも 危険ですものね
埋立地上空に 謎の発光体を 目撃した人も….
そう ですな….
この二人 …. 「妖撃社」で 面倒みて もらえます か？
ええ そのつもりで 来ました
そうですか!! それじゃ さっそく組のモンに パスポートの偽造を ….

香港か・・・・
どうする？パイ・・・・
くかーっ
・・・・・・・・
おまえねー深刻な問題は全部俺にまかせて寝ちゃうなんてズルイぞ!!
俺なんか友達との約束まで破ることになっちまって・・・・
咲子・・・・俺が死んだと思ったかな
みんなに悪い事しちゃったな俺・・・・
そーそーみーんなおまえが悪い
スラッ

虫ケラどもと
馴れ合うからじゃ
愚か者!!
わあっっ
〝元《ウー》〟としての
誇りも持てず
己の愚かしさを
棚にあげて
どこが
深刻な
問題じゃ!!
いや
その‥‥
記憶が戻っても
おまえに迷惑
かけぬよう
一人ぼっちで
聖地で暮らしていた
パイの気持ちが
汝《うぬ》にはわからぬか!!
わーー
ゴメンな
さいーっっ

とはいえ
太歳《タイツェイ》相手に
よう戦った
ほめてつかわす
「昆侖《コンロン》」の
短剣を携え
どこまでも
儂《わし》について
来るがよい
これから
二人で旅立つぞ
儂《わし》にも
用意がある!!
この先の公園で
待っておれ
は・・・・
ニッ
はいっっ

ああ 長かったぜ パイ・・・・
でも もう放さないぜ!! これからどんな 事が待っていようと 絶対に・・・・
そして 二人で人間に なって・・・・
パイ・・・・
ヒュウウウ・・・

それにしても
遅《おせ》ーな
アイツ
何やってんだよ・・・・
Mr.レディーの店
カルチャーショック
あ──?
八雲のウデが切れて
ゴミ捨て場で
燃えたぁ?
おまえ達なー
大人をからかう
つもりかー?
で　でも
でも 見たんだ
藤井が女の子と
男の人連れてて
ウデがこう・・・・
私なんか
いつの間にか
家の前まで
送られてて・・・・
実はなー
口止めされて
たんだが・・・・
アイツは
昨夜
夜逃げ
したんだ

よ
に
げ？
あいつには多額の借金があってなあ・・・・
君らとこれ以上いると君らまで巻き込むおそれがあってな
もう夜には東京を出てたハズだ・・・・君らに会えるハズがない
そうですか・・・・なんだかホッとしました
藤井君ってどことなくかげりがあって前から気になってたんです
でもよかった・・・・藤井君がお店なんかより彼女を選んで
本当に・・・・
生きてるのなら
いつか必ず帰って来てお店一緒にやれますよね・・・・

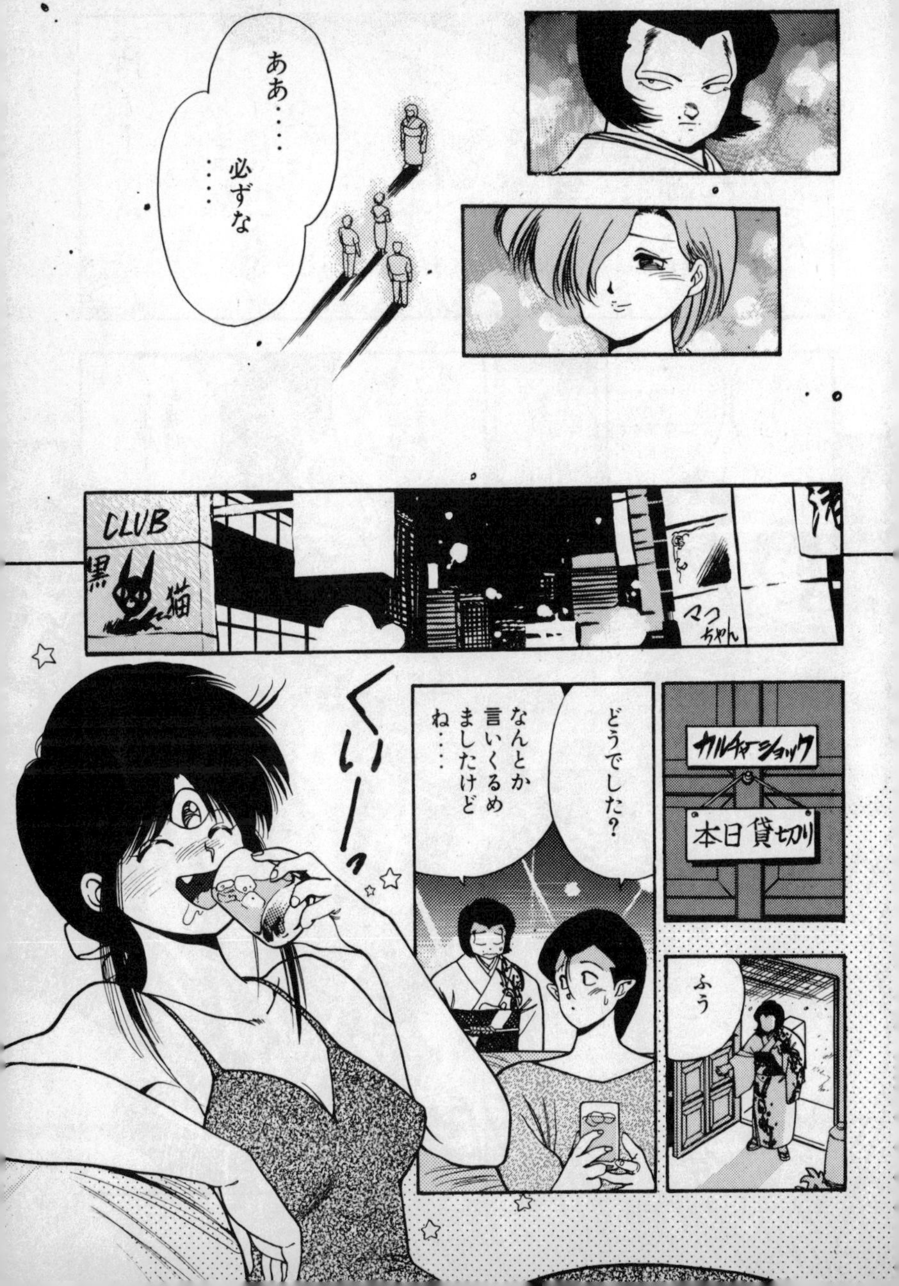
ああ・・・・必ずな・・・・
CLUB
黒猫
マコちゃん
カルチャーショック
本日貸切り
ふう
どうでした？
なんとか言いくるめましたけどね・・・
くいーーっ

ぷはーーっ♡♡
いやー4年間も人間やってたらどーもこういう生活が恋しくてのー
だのに八雲《あやつ》がおるとパイの意識が強おてなかなか儂《わし》が出れんでな
ませーぜー今夜は
楽しませてもらうかのー
いいんかねコレで?
ささあ‥‥
新たなる旅立ちは今始まった――
(どこがじゃ‥‥)
‥‥
魔都降臨 其ノ九 了

第十話
聖魔の休息 其ノ一

千葉
辰巳ハイツ
んあ・・・・

あふっ
我ながら むなしいねぇ 男一人暮らしは・・・・
思わず 飲み過ぎ ちまったよ 昨日も
CNN・ABC
しっかし なんで ソファーで 寝てんだ 俺は
あたたた ふつか酔いだぁ…
う〜ん
ゴロッ

わあ
バーンッ
いいったい何がどーなって‥‥
四谷 啓一郎
NHK
やっぱオレんちだよな‥‥
なんで見も知らねー娘が俺のベッドで寝てんだよ
ゴソッ
ちら

そういえば昨日――
渋谷のバーで‥‥
そーそー
くっくっくっくっ
そこで俺は思うワケよ
地球環境がどーのこーのと言ったってしょせん人間がいなくなんなきゃ地球はキレイになりっこないって!!
ナハハ
うむうむ
人間などこの星の寄生虫よ儂《わし》が滅ぼしてくれるわ

いやー話せるねぇお嬢さん気に入った
かわいい顔してその毒舌!!風変わりなおでこの飾り!!どれをとっても最高!!
困った事があったら俺に言いなさい
読日新聞社
文化部記者
四谷啓一郎
何でも力になるよおぢさんは
ビクッ
ほー記者・・・・
じゃー儂《わし》も名刺がわりにこれをやろう御守りじゃ!!
ちりっ・・・・
力の弱い魔物ならこれで十分身を守れるぞ
ほーほーそりゃありがたいねーおぢさん感激だよ
もー今夜はジャンジャンおごっちゃう!!
飲も!!
徹底的に飲も――
おー
アハハハハ
飲もー

……
四谷 啓一郎
NHK
サイテー……
酒場で知り合った女の子を自分ちに連れてくるとは……
まいったぜ……
とにかく出社しねーと……
オハヨーヤクモ!!
わっ

きゃびぃぃ
おじさん誰ーーっっ!? どこどこどこここーーっっ!?
わーーっっ
そんなカッコでさわぐなっっ
最近の娘は知らないかもしれないがおぢさんにも世間体というものがあるのだよ
君もすっかり忘れてるようだけど昨日 飲み屋で意気投合しただろ!? あやしい者じゃないよおぢさんは
うぷっ
気持ちワルイー……
なんでパイ頭ガンガンするのー……?
おいおいカンベンしてくれよもう家出ないと遅刻しちゃうよ

じゃ
休んでって
いーから!!
気分治ったら
帰ってくれよ
カギは
新聞受けの中に
たのむぜ
じゃらっ
帰るって‥‥
どうやって?
‥‥
タクシー
代!!
ぱんっ
じゃ
ばんっ

読日新聞社
文化部
日曜版編集部
おーい 四谷!! 環境問題シリーズの原稿あがってるか?
あふっ
だめっス……
見て下さいよ コレ……
↑紙くず

日本だけで1日に東京ドーム480杯分もの木材をマレーシアから伐採してるのを警告するったって・・・・
紙をこんだけムダにしている俺には資格ないっス
バカモン!!
それがどーした!!
締め切りは待ってはくれないぞ!!
俺には事件記者があってるんスよ
スクープの一つもとれねぇから日曜版《ココ》に来たんだろ!!
ぐちゃぐちゃ言わずに原稿を書け原稿を!!
スクープか・・・・
そりゃ子供の頃からあこがれてるさ・・・・
一面トップ全段ぶち抜き!!それを自分の手で書いてやるんだって
でも入社以来7年・・・・何もなかった

ぐったし
社会部にも戻れず
女っ気もなし
俺の人生なんて
こんなもんか
・・・・
典
講談社
おーい
四谷ぁ
これから
一杯どーだ
いんや
今日は
帰るわ
金も
ないし
・・・・
そーいや
アイツ
どーした
かな
変な娘だったけど
かわいかったな
手ェつけときゃ
よかったかな・・・・
四谷 啓一郎
NHK

ガチャッ!!
なんだよ カギかかって ないじゃん
へー
あの娘 そーじして くれたのか・・・・
一宿一飯の 恩義を感じる なんざ 今時めずらしい 娘だな
ガラッ
いやー 感心感心・・・・

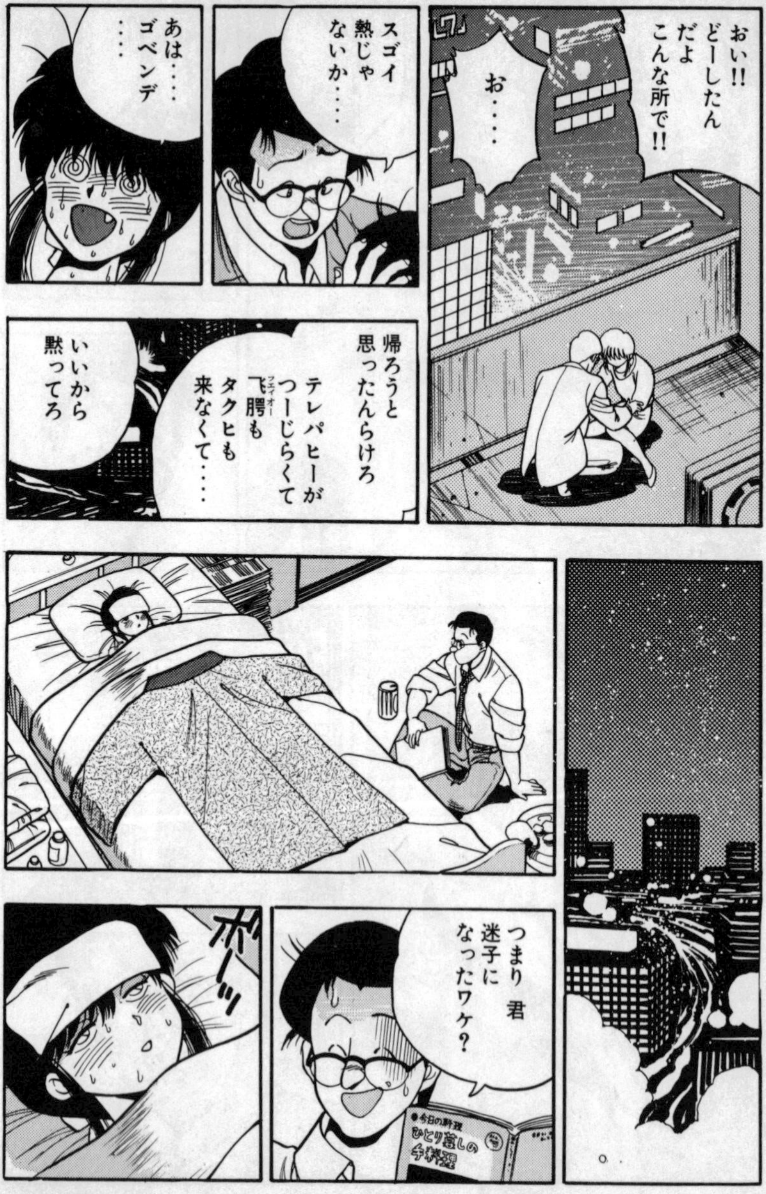
おい!! どーしたんだよ こんな所で!!
お・・・・
スゴイ熱じゃないか・・・・
あは・・・・ゴベンデ・・・・
帰ろうと思ったんらけろ テレパヒーがつーじらくて 飞腭《フェイオー》も タクヒも来なくて・・・・
いいから黙ってろ
つまり 君 迷子になったワケ?
●今日の料理
ひとり暮しの手料理
ボーッ

まったく わかんないのか 東京?
昔 新宿 らったけろ・・・・ 今は 秘密の 隠れ家 なの・・・・
葛根湯
隠れ・・・・?
パイは 三只眼吽迦羅《さんじやんうんから》 だから みんながパイの事 狙ってるの・・・・ だから 隠れなくちゃ いけないの
あのさー おぢさんは 最近の言葉 よく知らないん だけど・・・・
パイって 何? 食べるアレ?
あはっ ゴメンね それ 私の名前・・・・
私は パイ
教授が言うには 私は幻の民 三只眼吽迦羅《さんじやんうんから》の 生き残りなんだって

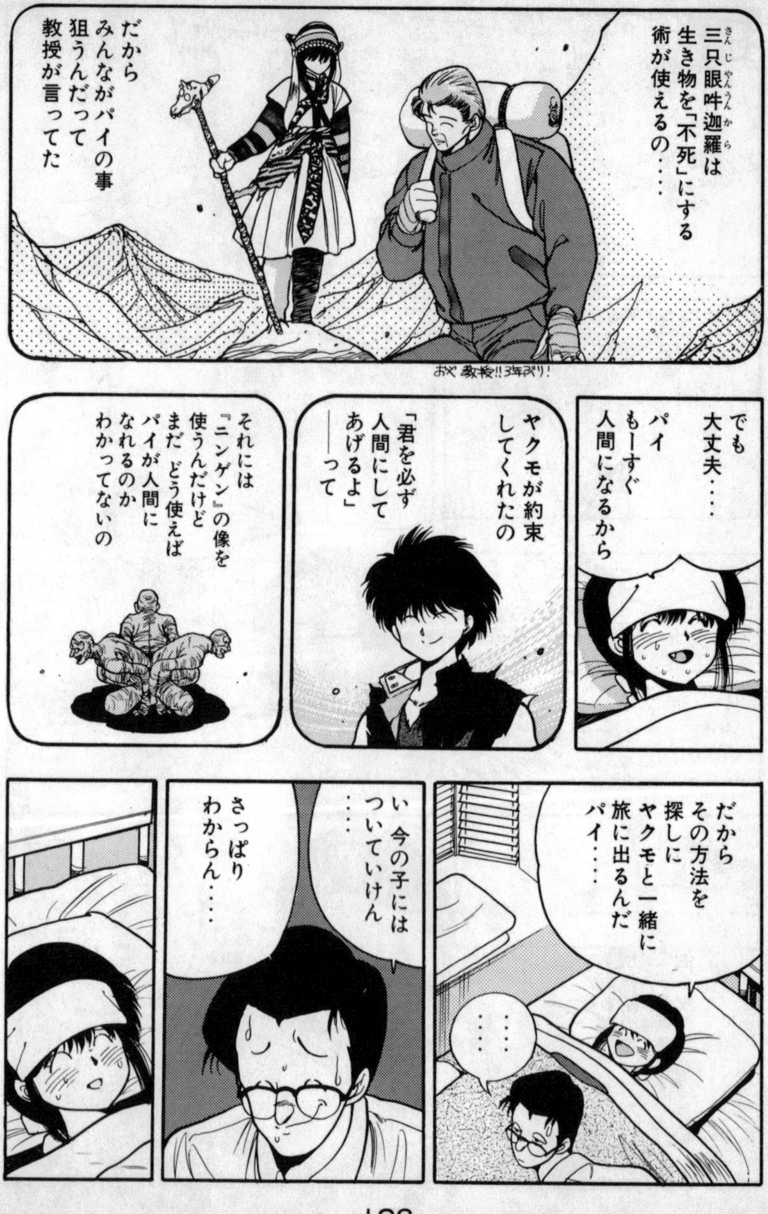
三只眼《さんじやん》吽迦羅《うんから》は生き物を「不死」にする術が使えるの・・・・
だからみんながパイの事狙うんだって教授が言ってた
おや 教授!! 3年ぶり!
でも大丈夫・・・・パイもーすぐ人間になるから
ヤクモが約束してくれたの「君を必ず人間にしてあげるよ」――って
それには『ニンゲン』の像を使うんだけどまだ どう使えばパイが人間になれるのかわかってないの
だからその方法を探しにヤクモと一緒に旅に出るんだパイ・・・・
・・・・
い 今の子にはついていけん・・・・
さっぱりわからん・・・・

まず教授って誰？
じゃあ
八雲ってのは誰？
ヤクモのお父さん…チベットで死んじゃったの
パイの一番大切なダチンコ
くそー
よく考えりゃウチには米がねーんだからおかゆなんて作れねーか…
うまさサッポロにあり!!
サッポロ

聖魔の休息 其ノ一　了

第十一話
聖魔の休息　其ノ二

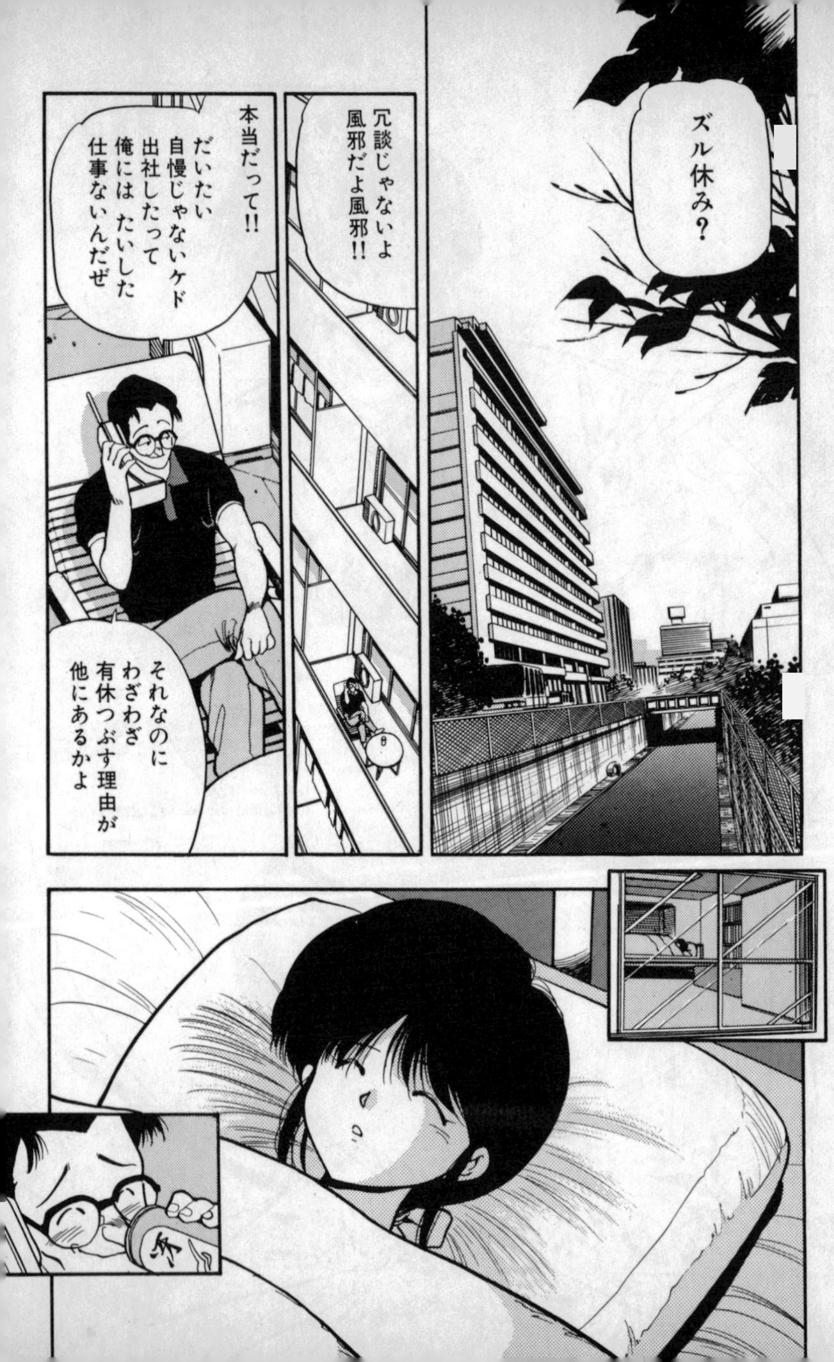
ズル休み？
冗談じゃないよ
風邪だよ風邪!!
本当だって!!
だいたい
自慢じゃないケド
出社したって
俺には たいした
仕事ないんだぜ
それなのに
わざわざ
有休つぶす理由が
他にあるかよ

とにかく
風邪と言ったら
風邪なの!!
うわ言
言っちゃうくらいの
熱なんだよ
39度だよ
39度!!
今日は休むって
デスクに
よろしくな!!
たん
うわ言か——
パイは
不老不死の術を使う
幻の民
「三《さん》只《じ》眼《やん》吽《うん》迦《か》羅《ら》」
なんだつて
だから
パイが人間に
ならない限り
みんながパイの事
狙うの・・・
飲み屋で
会った時は
あんな娘じゃ
なかったんだけど
なあ・・・
ミシッ
熱に浮かされて
とはいえ
ちょっと
自意識過剰な
思い込みだぜ
ミシィッ

ま 不老不死だの
それを狙ってる
モノだの
本当にいるなら
見てみたいもんだぜ
ナハハハハ
シャオオオオオ
カサササ

フギャアア
ガブッ!!
酔ったかな
まぁ酒ばっか飲んでてもしょーがないな
あの娘どーするか考えないと‥‥
‥‥

オハヨ
ヨッ
昨日はドモ アリガト 今は何もお礼できないケド パイはこれで‥‥
うむ
ま 熱はひいたみたいだけど
今日はまだ寝てた方がいいぞ
医者行くか？
ううん アリガト でもココにいるとおじさんに迷惑かけちゃうから
お おい ドコ行くんだよ
行くアテあんのかい 迷子なんだろ
腹だって減ってるだろ
メシでも喰って医者に行こ
え

メシって ゴハンの事!?
ウル
ウル
そ そうだよ
ゴハンて 朝食とか ブレックファストとか 早飯《サアオファン》とかの事!?
ウルル
ウルー
そ そーだと 思うケド‥‥
お米だったり メンだったり ナンだったり 牛肉だったり お魚だったり えーと えーと‥‥
ジュルルルレ
‥‥
‥‥
だ だめよ パイ!! あきらめて 出て行かなきゃ おじさんも 狙われちゃう もの
くるる ぐきゅ
うるるる
‥‥
ううっ 後ろ髪が なびいちゃうう
ごめんなさい おじさん!! いつか必ず お礼に来るから
タッ
お おいっ
へ 変な奴‥‥
あ あんまり 係わりたくない タイプだな‥‥

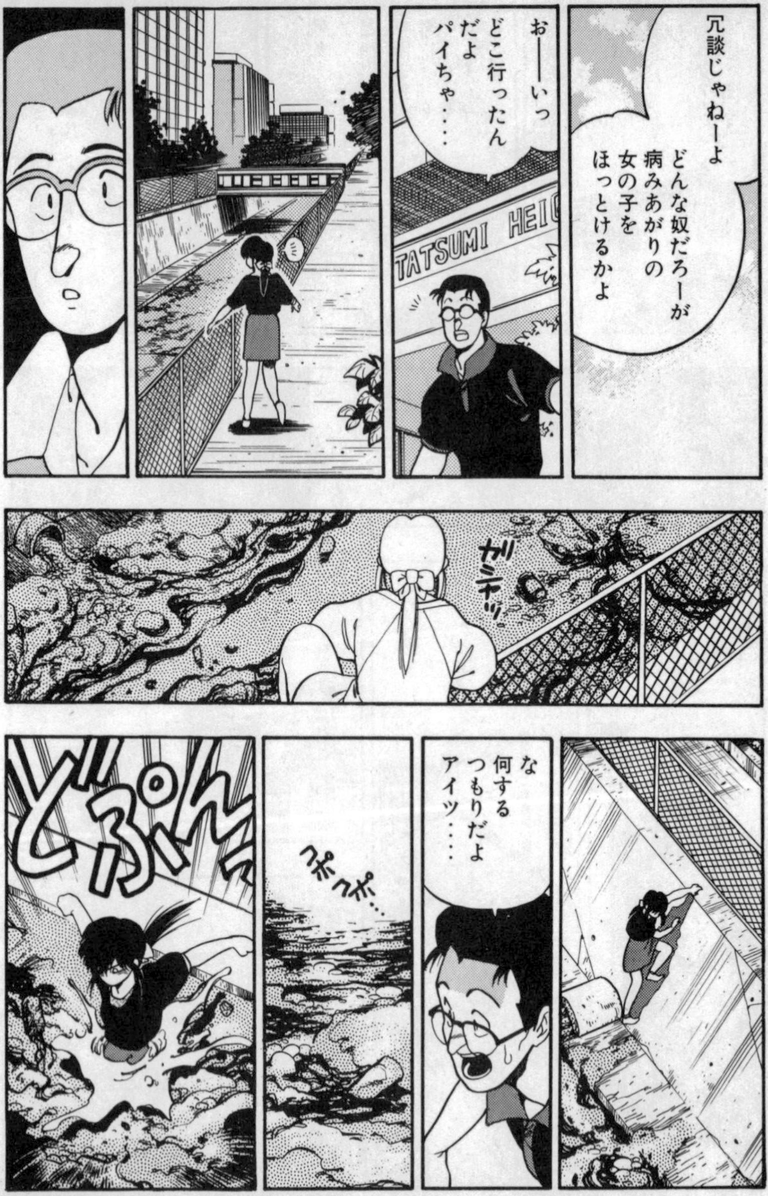
冗談じゃねーよ
どんな奴だろーが病みあがりの女の子をほっとけるかよ
おーーいっ どこ行ったんだよ パイちゃ‥‥
TATSUMI HEIG
ガシャッ
な 何するつもりだよ アイツ‥‥
クポクポ‥‥
どぷん

ゲッ
よかった・・・・生きてる!!
足折れてるケド・・・・
よかった・・・・

MYCITY
新宿駅
西口近道
歌舞伎町一
まったく……
本っ当に変わった娘だよ君は——感動しちゃうね

てへっ
でも おじさんも 変わってる!!
パイの 帰る所 一緒に探して くれるなんて
ダチンコでも ないのに どーしてこんなに やさしいの？
君に比べりゃ やさしくなんか ないよ・・・
それより おじさんは やめてくれよ 四谷啓一郎って 名前が あんだからさ
うん!! 啓一郎!!
パイ 絶対啓一郎に お礼するからね
啓一郎は 今何が一番 欲しい？
そりゃ スクープさ
PACHINKO
それを 手土産に 社会部に 復帰する事 だな
スクープ・・・・

スクープというとキョンキョンがCMしてる‥‥
そりゃスープ!!
マリックさんが曲げる‥‥
そりゃスプーン!!
？
ま冗談だよ冗談!!
そんなお礼なんてどーでもいいよ
それより先に帰る所見つけなきゃ
どうだい？何か見覚えがある所あったかい？
売地
ううんダメ‥‥
ママさんのお店もなくなっちゃったしヤクモのおウチもわかんない‥‥
JR 山手線
アルプス広場
JR
伝言板
八雲へ
渋谷の"WWF"という
バーに行きます
しょーがねー君と出会った渋谷の飲み屋しかわかる所はねーか‥‥

渋谷
109
何の手掛かりもなしか・・・・
どっちの方向からこの店に来たかも覚えてない？
うん・・・・
WWF
じゃこないだと同じように酒飲んで酔っぱらったら思い出すとか・・・
・・・・・・・・
WWF
んなわけないな冗談冗談・・・・
そっかパイの中にはもう一人のパイがいるんだっけ

WC
パイちゃんか‥‥
帰る所が見つかるまで付き合ってもいいかな
しかしそれにしても‥‥
コロッ
変だよなぁあの娘‥‥
あれだけ酒が強かったのに今日は一杯でダウンだなんて
カゼのせいか‥‥
さてと帰るとするか‥‥

わあ
キャアァ
ヒイイ
ベベベベベ
だ 大丈夫か パ・・・・

!?
な　何だよ……アレ……

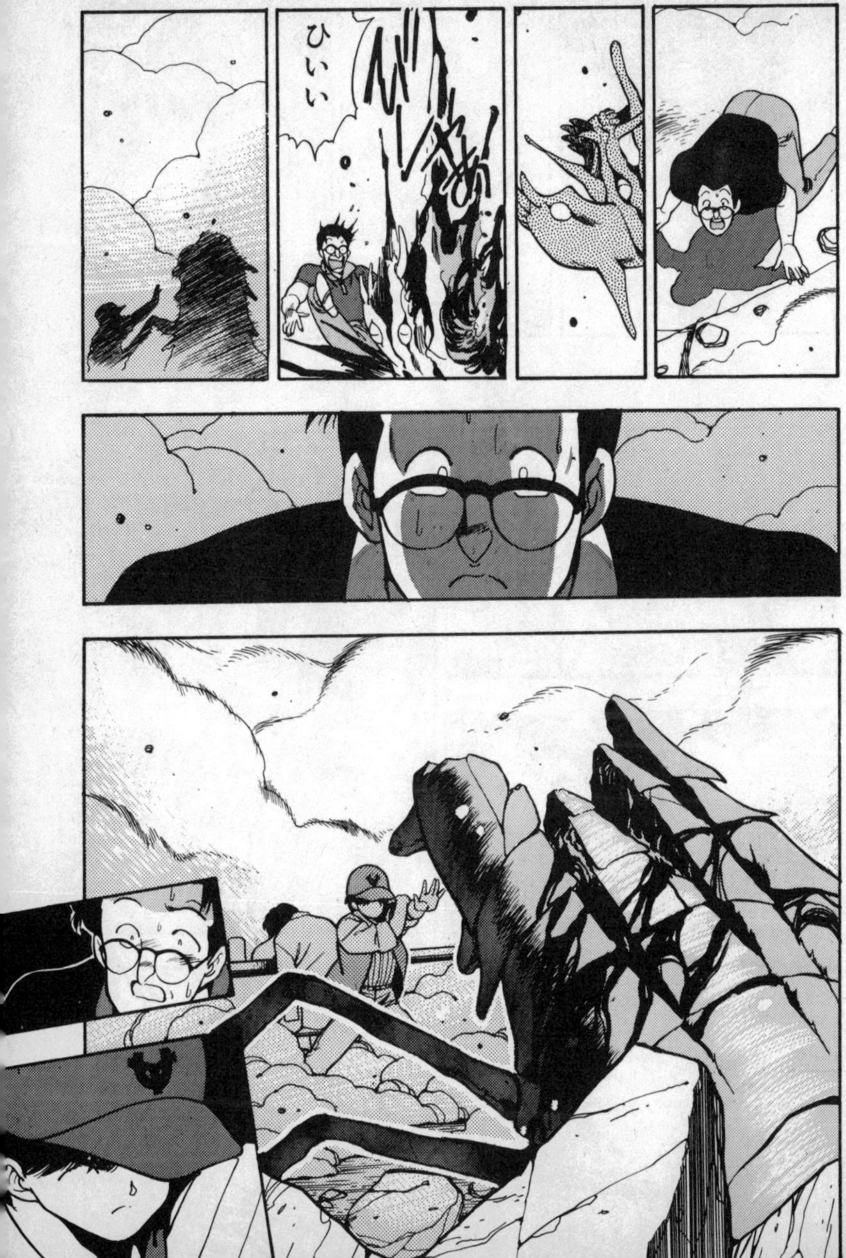
ひいい

読日新聞
渋谷のバーで
謎の爆発
ガス管の
老朽化が原因か
本紙記者
偶然居合わせる
警視庁によ
調査
よくやったぞ四谷!! 上出来だ
スクープとれたじゃないか!!
目で見た本当の事は何も書いていない
本当のスクープを書くのはこれからだ・・・・
読日新
聖魔の休息 其ノ五 了〔第六巻〕完

あなたは、この本を読んで、どんな感想をおもちになりましたか。編集部では、この本についての読者のみなさまのご意見をおまちしています。

このつぎには、どんな作家のどんな漫画を読みたいと、お考えですか。「ヤンマガKCスペシャル」にしてほしいと思う作品がありましたら、「読後の感想」とあわせて、左記あてに、どしどしお知らせください。

東京都文京区音羽二丁目十二番二十一号
（郵便番号一一二）
講談社「ヤングマガジン」編集部
ヤンマガKCスペシャル係

（ヤングマガジン1989年第14号〜1990年第25号の掲載分を収録しました。）

ヤンマガKCスペシャル—228

3×3EYES⑥

1990年11月6日 第一刷発行
定価はカバーに表示してあります。

著者 高田裕三
発行者 三樹創作
発行所 株式会社講談社
東京都文京区音羽二—一二—二一
郵便番号 一一二
電話 東京(03)九四五—一一一一(大代表)
印刷所 豊国印刷株式会社
製本所 株式会社国宝社

落丁本・乱丁本は小社雑誌業務部にお送り下さい。送料小社負担にてお取替します。なお、この本についてのお問い合せは、ヤングマガジン編集部あてにお願いいたします。

ISBN4-06-102228-8 (ヤマ) Printed in Japan